La miracolosa Rosario di ... a Nostra Signora

Questa copia dell'Edizione Commemorativa donata
da:

_____

In Amorevole Memoria di:

_____

che risiedeva in:

_____

Per favore, prega per il riposo della loro anima.

Grazie e che Dio ti benedica.

Quali sono le copie dell'Edizione Commemorativa?

Le edizioni commemorative della miracolosa Novena del Rosario di 54 giorni a Nostra Signora sono copie che ti danno l'opportunità di scrivere nel nome di un membro della famiglia, un amico o uno sconosciuto che è morto, chiedendo al contempo al lettore di pregare per il riposo dell'anima del tuo familiare o del tuo amico.

Le copie a prezzo normale dell'Edizione Commemorativa sono in vendita sui siti Web di Amazon negli Stati Uniti, nel Regno Unito, in Germania, Francia, Italia e Spagna.

Tuttavia, vogliamo che le persone preghino il Rosario e incoraggiamo le persone a pregare per le anime dei defunti, specialmente per i nostri cari.

Quindi, ti offriamo libri a basso costo a tua disposizione.

Copie scontate di Edizione Commemorativa sono disponibili presso Great Point Publishing per un costo inferiore per libro, pur essendo in grado di ordinare più copie contemporaneamente.

Per ordinare copie scontate a basso costo, visitare:

greatpointpublishing.com/store

Ci auguriamo che tu possa godere dell'opportunità di offrire una copia di questo libro come regalo ad un amico o a un familiare o di lasciarlo in una chiesa come regalo per chiunque.

Promuoviamo insieme il Rosario.

Insieme cambiamo il mondo.

Grazie

La miracolosa Novena del Rosario di 54 giorni a Nostra Signora:

Guida quotidiana di preghiera per aiutarti A Finire la Novena Miracolosa

Di: Christopher Hallenbeck

Pubblicazione di Great Point

Gloversville, New York

La miracolosa Novena del Rosario di 54 giorni a Nostra Signora:
Guida quotidiana di preghiera per aiutarti A Finire la Miracolosa Novena
Di: Christopher Hallenbeck

Progetto di copertina di: Gareth Bobowski

Progetto del libro di: Christopher Hallenbeck

Foto di copertina: Amanda Fortman, foto scattata alla Chiesa dello Spirito Santo a Gloversville, New York

Copertina posteriore Autore Foto di: Jamin Clemente

Foto di copertina di "Milano, Duomo al tramonto, Italia" di: Tomas1111, ID 34394122, Dreamstime.com

Foto di copertina di "Statua della Madonna di Fatima" di: Sidney De Almeida, ID 147564459, Dreamstime.com

Tradotto dall'inglese all'italiano da "Cinzia Borgia" su fiverr.com

Per ordinare copie aggiuntive di questo titolo, contattare la libreria locale preferita o visitare *www.greatpointpublishing.com*

Brossura ISBN: 978-1-7333797-5-5

Nihl Obstat: Rev. David R. LeFort, Vicario Generale della
　　　　　　 Diocesi di Albany
　　　　　　 Albany, New York
　　　　　　 10 giugno 2019

Pubblicato da: 　　 **Great Point Publishing, LLC.**
　　　　　　　　　　 Gloversville, New York

Dedicato alla Beata Madre MARIA

e regina del santo rosario

in più memoria di

I miei nonni

Salvatore "Sam" e Margaret Guarnier

SOMMARIO

Nota: in obbedienza al decreto di Papa Urbano VIII (1623-1644) e di altri Supremi Pontefici, l'autore si impegna a dichiarare che, riguardo a ciò che è narrato, non viene rivendicata alcuna autorità superiore a quella che è dovuta a tutte le autentiche testimonianze umane.

UN'ISPIRANTE STORIA SULLA NOVENA DEL ROSARIO DA GLOVERSVILLE, NY
Di: Christopher Hallenbeck

Ci sono momenti speciali nelle nostre vite in cui sia tu che io diamo il benvenuto a Cristo nella nostra routine quotidiana. Alcune di queste routine potrebbero essere piccoli atti casuali di gentilezza o manifestazioni di carità che si tenta di praticare abitualmente. Altre volte potrebbero essere eventi importanti o pietre miliari speciali nella tua vita. Gli eventi che probabilmente ti vengono in mente immediatamente sono momenti in cui hai ricevuto uno dei sette sacramenti; in questo momento potresti ricordare la tua prima comunione, ricevere il sacramento della conferma, andare alla confessione durante la Quaresima e l'Avvento, o forse stai ricordando il giorno in cui ti sei sposato con tua moglie o tuo marito.

I Sacramenti sono facili da ricordare perché, secondo il Catechismo della Chiesa Cattolica, "Seduti alla destra del Padre" e riversando lo Spirito Santo sul suo Corpo che è la Chiesa ... i Sacramenti sono efficaci, preziosi e segni di grazia riusciti, istituiti da Cristo e affidati alla Chiesa, mediante i quali ci viene dispensata la vita divina ... i sacramenti rafforzano la fede e la esprimono (CCC 1084, 1131,1133) [1].

La storia che sto per condividere non è un ricordo di un momento specifico in cui ho ricevuto un sacramento particolare. Invece è la storia di come sono stato introdotto alla Novena del Rosario di 54 giorni e delle benedizioni che ha portato nella mia vita, nella vita della mia famiglia e delle benedizioni che può portare anche nella tua vita. Questa storia è di cinque anni di lavoro, e non è passato molto tempo da quando ho cominciato a condividere questa storia. Era molto privata. Non volevo che nessuno sapesse quello che avevo scoperto o quello che stavo facendo, e, inoltre, non c'era davvero una storia da condividere al tempo.

Mai nei miei sogni più sfrenati avrei immaginato cosa sarebbe stato portato nella mia vita e nella vita della mia famiglia cinque anni dopo. Tutto questo grazie a Dio. La storia ispiratrice del Rosario dei novanta giorni a Nostra Signora da Gloversville, New York, è una storia su un momento speciale che coinvolge la preghiera, un sacramento e una fede rafforzata. Spero che la lettura ti piaccia.

Durante il Natale del 2010, ero confuso su cosa prendere per mia nonna come regalo di Natale. All'epoca aveva 91 anni ed era stata una cattolica devota per tutta la vita. Io di solito per Natale le avrei portato la sua caramella preferita, il cioccolatino e le caramelle alle noci chiamate Tartarughe. Tuttavia, i denti della nonna stavano diventando fragili e così mia madre mi suggerì di pensare a qualcos'altro da prenderle. Così, ho fatto un brainstorming nella speranza di trovare il regalo di Natale perfetto per mia nonna. Quindi la lampadina scattò! Pensai al regalo di Natale perfetto per lei.

Prenderò a mia nonna un nuovo set di rosari. Non le avevo mai procurato un set di rosari. Pregava sempre il Rosario, in più era un dono premuroso, creativo e significativo. Era perfetto! Ho cercato on-line e ho visto questi bei rosari blu che contenevano un quadro della Medaglia Miracolosa, e ho ordinato un set. Quando sono arrivati, erano molto più belli di persona rispetto alle foto che ho visto online e la mia curiosità è scattata: cosa significava ogni rosario?

Avevo imparato a dire il Rosario nella scuola ecclesiastica, ma era stato tanto tempo addietro. Così ho ordinato un altro set degli stessi Rosari per me stesso e quando arrivarono cercai su Google come pregare il Rosario. Successivamente, ho lessi ciò che potevo trovare sul Rosario. Dopo averlo fatto, all'epoca c'erano tre cose che si distinguevano per me e che ancora oggi restano con me.

La prima cosa che mi ha colpito è stata la scoperta della Novena del Rosario di 54 giorni, nota anche come Miracolosa Novena del Rosario di 54 giorni. Se ti stai chiedendo perché si chiama Novena del Rosario di 54 giorni, ecco la storia dietro perché diciamo questo rosario esattamente per 54 giorni e come è stato introdotto nella Chiesa:

La storia della Chiesa ci insegna che nel 1884 un'apparizione della Madonna di Pompei avvenne all'interno della casa del comandante Agrelli, un ufficiale militare italiano a Napoli, in Italia. Per tredici mesi, Fortuna Agrelli, la figlia del comandante, è stata molto, molto malata. Era stata in grande angoscia, aveva sofferto terribili sofferenze, crampi tortuosi e persino quasi la morte. La sua malattia era così grave che il suo caso era stato abbandonato come senza speranza dai medici più famosi del tempo.

Disperati, il 16 febbraio 1884, la ragazza afflitta e la sua famiglia iniziarono una novena di rosari. La Regina del Santo Rosario l'ha favorita con un'apparizione il 3 marzo. Maria, seduta su un trono alto, circondato da figure luminose, che tiene il divino Bambino in grembo, e in mano un rosario. La Vergine Madre e Il Santo Bambino erano vestiti con abiti ricamati in oro. Erano accompagnati da San Domenico e Santa Caterina da Siena. Il trono era abbondantemente decorato con fiori; la bellezza della Madonna era incredibile. Maria guardò la malata con tenerezza materna e la paziente Fortuna salutò Maria con le parole:

> *"Regina del Santo Rosario, sii gentile con me; riportami in salute! Ti ho già pregata in una novena, oh Maria, ma non ho ancora potuto sperimentare il tuo aiuto. Sono così ansiosa di guarire!"*

> *"Bambina", rispose la Beata Vergine, "mi hai invocato con vari titoli e hai sempre ottenuto favori da me. Ora, dal momento che mi hai chiamato con quel titolo a me così gradito, "Regina del Santo Rosario", non posso più rifiutare il favore che hai chiesto; perché questo nome è molto prezioso e caro a me. Fai tre novene e otterrai tutto."*

Ancora una volta la Regina del Santo Rosario le apparve e disse:

> *"Chiunque desideri ottenere favori da me dovrebbe fare tre novene delle preghiere del Rosario e tre novene nel giorno del ringraziamento."*

Obbediente all'invito della Madonna, Fortuna e la sua famiglia completarono le sei novene in seguito alle quali la giovane Fortuna fu riportata in perfetta salute e la sua famiglia fu inondata da molte benedizioni.

Attraverso se stessa, la Madonna ha dato al mondo la devozione miracolosa della Novena del Rosario di 54 giorni. [2]

Secondo il Convento benedettino dell'adorazione perpetua a Clyde, Missouri, questo miracolo del Rosario fece una profonda impressione su Papa Leone XIII e contribuì notevolmente alla sua diffusione tramite molte lettere circolari in cui esortò tutti i cristiani ad amare il Rosario e dirlo con fervore.[2]

Ma qual è la ragione per cui si deve pregare il Rosario esattamente per 54 giorni?

I primi greci avevano un debole per il pensiero astratto, e pensarono che i numeri fossero la chiave di tutta la conoscenza. Il primo a pensare a tutto fu Pitagora. [3]

Pitagora fu la prima persona a calcolare i meravigliosi suoni delle armonie e come le note suonate dagli accordi formassero toni armonici se le note degli accordi fossero state tutte correlate in semplici rapporti numerici. Questa è la conoscenza standard della teoria musicale che usiamo ancora oggi. Pitagora inventò anche il Teorema di Pitagora. Nel caso in cui non lo ricordi dalla scuola elementare, il quadrato dell'ipotenusa di un triangolo rettangolo è uguale alla somma dei quadrati degli altri due lati. Pitagora ha anche dato un significato religioso ai numeri. In qualche modo è stato in grado di scoprire che le cose non erano solo misurate da un numero, ma in qualche modo erano anche causate dal numero e Pitagora insegnava anche che si poteva vedere la mente di Dio all'opera osservando il modo in cui i numeri funzionano. [3]

Molti anni dopo che Pitagora insegnò che i numeri avevano un significato religioso, Sant'Agostino fece molte conferenze sul Vangelo di Giovanni, capitolo 21, versetti 1-14. Durante queste lezioni Sant'Agostino spiegherebbe il significato e l'importanza del simbolismo dei 153 pesci che furono catturati nel Mare di Tiberiade quando Gesù disse agli apostoli di gettare le loro reti sul lato destro della barca. La cattura di 153 pesci è un numero molto specifico di pesci. Questo è importante perché "Lui (Gesù) non disse nulla del genere la volta precedente che guidò la loro pesca (Lc 5, 4); aveva già detto loro che intendeva che fossero pescatori di uomini (Mt 4:19) e descrisse il Giudizio Universale in termini di portare le creature alla sua destra (Mt 25: 31-46). Quindi i pesci di Giovanni 21 si riferiscono alle persone e Sant'Agostino disse che "il numero indica migliaia e migliaia ... ammessi nel Regno dei Cieli"" [3]

Il motivo che dà è legata al fatto che ci sono 10 comandamenti da seguire per entrare in Paradiso. Tuttavia, nessuno osserva i comandamenti con il proprio potere. Abbiamo bisogno di aiuto, tutti abbiamo bisogno della grazia di Dio. La grazia di Dio viene nei termini dei sette doni dello Spirito Santo.

Sant'Agostino ci insegna che c'è bisogno dello Spirito affinché la Legge possa essere adempiuta. Quindi aggiungi 10 + 7. Cosa ottieni? ... 17.

Secondo Sant'Agostino, tuttavia, non puoi prenderla come somma forfettaria. È necessario tenere conto di ogni dettaglio incluso nei sette doni dello Spirito Santo e anche dei Dieci Comandamenti e di tutte le loro implicazioni, quindi quando aggiungi tutti i numeri da 1 a 17, indovina quale numero ottieni? ... 153!

Questo calcolo secondo Sant'Agostino era il motivo per cui San Giovanni era così specifico riguardo al numero di 153 pesci catturati; ti permette di derivare un principio generale di salvezza da uno specifico dettaglio! [4] Questo è importante perché ci aiuta a insegnare il motivo per il quale noi preghiamo la Novena del Rosario per 54 giorni. Ogni numero nella Bibbia ha un significato tradizionale che risale al tempo di Pitagora e contiene un valore simbolico oggi definito.

Il numero 3 sta per tutto ciò che è perfetto. In ebraico, greco e cristiano il pensiero, la terza unità, unisce le metà di 2. Concilia ogni tensione implicita, portando le cose a finire, a completamento, alla perfezione! Ad esempio, la verità che lo Spirito Santo "procede dal Padre e dal Figlio" completa la Trinità. Quando hai tre di tutto, hai tutto quello che c'è, o almeno abbastanza. Ecco perché in Messa diciamo "Santo, Santo, Santo ..." tre volte Santo è Santo come qualsiasi cosa possa esserlo. Porta le cose a finire, a completamento, alla perfezione! [3]

Durante l'apparizione nel 1884, quando la Beata Madre disse a Fortuna:

> *"Chiunque desideri ottenere favori da me dovrebbe fare tre novene delle preghiere del Rosario e tre novene nel giorno del ringraziamento."*

Una Novena è un periodo di preghiera cattolica romana che dura nove giorni consecutivi. [4]

Il numero 9 è importante perché quando si moltiplicano 3 volte 3 la tua risposta è 9. Pertanto, 9 è un simbolo di perfezione, moltiplicato per la perfezione. [4]

Quando la Madonna dice per la prima volta a Fortuna di fare 3 novene di preghiere, le sta dicendo di pregare per 9 giorni consecutivamente 3 volte, quindi prega per 27 giorni in petizione del suo favore.

Dopo aver pregato per 27 giorni in petizione, la Madonna incarica quindi Fortuna di dire altre 3 novene nel giorno del ringraziamento. Quindi, sta dicendo a Fortuna di pregare nel ringraziamento per 9 giorni consecutivamente 3 volte, o altri 27 giorni nel ringraziamento.

Quando aggiungi le 3 novene in petizione (27 giorni in totale), più altre tre novene in ringraziamento per il tuo favore (altri 27 giorni), ecco come ottieni e perché preghi esattamente per 54 giorni in totale durante la Miracolosa Novena del Rosario di 54 giorni.

Nel 1926, l'autore Carlo V. Lacey ha scritto che il 54esimo giorno della Novena del Rosario è "una Novena laboriosa, ma una novena di Amore. Tu che sei sincero non lo troverai troppo difficile, se desideri davvero ottenere la tua richiesta. Se non dovessi ottenere il favore che cerchi, assicurati che la Regina del Rosario, che sa di cosa ognuno ha più bisogno, abbia ascoltato la tua preghiera. Non avrai pregato invano. Nessuna preghiera è mai stata inaudita. E la Madonna non ha mai fallito. Guarda ogni Ave Maria come una rosa rara e bella che giace ai piedi di Maria. Queste rose spirituali, legate in una corona di comunioni spirituali, saranno un dono molto gradevole e accettabile per lei e ti faranno arrivare grazie speciali. Se volete raggiungere i recessi più intimi del suo cuore, riccamente ricopri la tua corona con diamanti spirituali comunioni. Quindi la sua gioia sarà illimitata ed aprirà a te il canale delle sue grazie migliori. " [2]

Dopo aver letto del Rosario dei 54 giorni, ho deciso che questo era ciò di cui avevo bisogno per aiutarmi a imparare il Rosario. Il calendario giornaliero mi avrebbe aiutato a rimanere in pista imparando e dicendo il Rosario ogni giorno, e mi piaceva molto anche la storia del miracolo che ebbe luogo per la famiglia Agrelli nel 1884.

Vedi, a novembre 2010, anche la mia famiglia aveva bisogno di un miracolo in quel momento, e ho sentito che pregare la Novena del Rosario di 54 giorni fosse il modo migliore per aiutarli. Dopo tutto la miracolosa Novena del Rosario ha aiutato la famiglia Agrelli nel momento del bisogno nel 1884, e mi chiedevo, poteva aiutare anche la mia famiglia nel 2010?

Quando ho letto per la prima volta la Novena del Rosario di 54 giorni, mio fratello e sua moglie stavano cercando di avere un bambino da circa 18 mesi prima. Mi sono detto: "Questo è perfetto! Dirò un Rosario di 54 giorni per Mike e Diana per avere un bambino, e prenderò uno Scapolare in modo che le mie preghiere siano efficaci quanto più possibile."

L' 1 dicembre 2010, ho cominciato a dire la Novena del Rosario di 54 giorni.

Ho anche ordinato uno Scapolare Marrone nello stesso periodo. Il potere del Rosario e dello Scapolare Marrone insieme è stata la seconda cosa che è emersa durante la lettura e l'apprendimento del Rosario.

Quando è arrivato il mio scapolare, all'interno c'era una breve nota che spiegava la storia dello Scapolare Marrone e raccomandava anche a chi lo indossava per la prima volta di benedire il proprio scapolare. Ho chiamato la canonica nella mia parrocchia il giorno successivo e ho parlato con padre Don Czelusniak.

Gli ho spiegato che avevo appena ricevuto un nuovo scapolare e gli ho chiesto se poteva benedirlo per me. Padre Don ha detto: "Non posso farlo questa settimana, ma Padre Rendell può incontrarti." Così ho chiamato Padre Rendell Torres, e mi ha detto di incontrarlo in canonica alle 9 del mattino del 6 gennaio 2011. Era il primo giovedì del mese.

Mi ricordo di questo giorno particolare, perché dopo che Padre Rendell ha benedetto il mio scapolare mi ha detto che mi sarei dovuto fermare alla Chiesa in seguito per partecipare all'Adorazione. Hanno

l'Adorazione del Santissimo Sacramento ogni giovedì e le preghiere erano molto potenti prima del Santissimo Sacramento.
Era tutto ciò che dovevo sentire.

All'epoca non ero mai stato all'adorazione del Santissimo Sacramento, ma quando Padre Rendell disse che le preghiere prima del Santissimo Sacramento erano molto potenti, sapevo che mi sarei dovuto fermare li dopo il lavoro per pregare il mio rosario quotidiano davanti al Beato Sacramento.

Più tardi quel giorno, feci esattamente questo. Dopo essermi liberato, sono tornato alla Chiesa dello Spirito Santo a Gloversville per visitare l'Adorazione del Santissimo Sacramento. Ricordo specificamente che mentre camminavo attraverso la chiesa, il mio Scapolare appena benedetto si sentì vivo con lo Spirito Santo mentre entravo dalle porte principali. Mi sono inginocchiato e ho pregato il Rosario davanti al Santissimo Sacramento, continuando con la mia Novena del Rosario di 54 giorni.

Nei mesi seguenti avrei fatto del mio meglio per assicurarmi di dire il mio Rosario quotidiano il primo giovedì del mese di fronte al Santissimo Sacramento.

54 giorni dopo, ho finito la mia prima Novena del Rosario di 54 giorni. Mio fratello e sua moglie non aspettavano un bambino ancora. Pensavo di aver sbagliato in qualche modo.

Il giorno successivo ho iniziato a pregare un'altra Novena del Rosario di 54 giorni, dello stesso formato, visitando l'Adorazione del Santissimo Sacramento ogni primo giovedì del mese e pregando di nuovo che mio fratello e sua moglie avessero un bambino.

54 giorni dopo, ho finito la mia seconda Novena del Rosario di 54 giorni. E ancora una volta, mio fratello e sua moglie non aspettavano ancora un bambino.

Il giorno seguente, 109 giorni dopo che ho iniziato a pregare il Rosario, ho iniziato una terza Novena del Rosario di 54 giorni, ancora una volta con lo stesso schema: visitare il Santissimo Sacramento ogni primo giovedì e pregare per mio fratello e sua moglie in modo che avessero un bambino.

8

54 giorni dopo, ho finito la mia terza Novena del Rosario di 54 giorni. E ancora una volta, mio fratello e sua moglie non aspettavano nessun bambino.

Dopo 162 giorni di preghiera al Rosario, mi sono stancato di pregare la Novena del Rosario di 54 giorni e avevo bisogno di una pausa. Ma ciò che non ho smesso di fare è stato visitare il Santissimo Sacramento ogni primo giovedì del mese.

Nell'agosto del 2011, a mia nonna è stato diagnosticato un cancro. La settimana dopo la sua diagnosi, è capitato di essere il primo giovedì del mese di agosto, quindi ho visitato l'Adorazione del Santissimo Sacramento. Non mi aspettavo un miracolo, ma ho pregato che mia nonna provasse il minor dolore possibile e che non avrebbe dovuto soffrire. La settimana seguente è deceduta. Era un giovedì. Sono stato in grado di visitarla il martedì prima. È stata una visita normale, triste perché penso che entrambi sapessimo che il nostro tempo insieme sulla Terra si stava avvicinando alla fine, ma è stata una buona visita. Abbiamo parlato come se fosse un'altra qualsiasi visita e ci siamo goduti la reciproca compagnia per l'ultima volta. Ho fatto piani per andare a trovarla il giorno successivo, ma quando l'ho chiamata mi ha detto che era stanca e aveva solo bisogno di dormire. È morta il giorno dopo, a casa sua, e per quanto ne sapevo non ha sofferto, ed è successo nel modo meno doloroso possibile.

È stato per esperienze come queste e altre che ho iniziato a credere nelle capacità e nella vera presenza del Signore nell'Eucaristia durante l'adorazione del Santissimo Sacramento e anche nella liturgia della Messa cattolica. Nella liturgia della Messa cattolica esprimiamo la nostra fede nella presenza reale di Cristo sotto le specie di pane e vino, tra l'altro, genuflettendo o inchinandoci profondamente come un segno di adorazione del Signore (CCC 1378) [1].

Alla fine ho anche imparato e iniziato a capire che attraverso il Rosario e l'Adorazione, avrei ottenuto tutto ciò che chiedevo, MA solo se fosse stato compatibile con la volontà del Signore e se fosse per il miglior beneficio della mia anima o dell'anima della persona per cui Stavo pregando.

Ho anche imparato che, come si dice in Ecclesiaste capitolo 3, versetto 1:

> "C'è un tempo fissato per tutto e c'è un tempo per ogni evento sotto il cielo". [5]

Compreso un tempo per la nascita.

Il 10 dicembre 2012, mio fratello Mike e sua moglie Diana hanno dato il benvenuto alla loro nuova figlia, Lucy. È nata esattamente 739 giorni dopo che ho iniziato la mia prima Novena del Rosario di 54 giorni, chiedendo alla Beata Madre di pregare con me per chiedere a Dio di benedire mio fratello e sua moglie con un bambino.

Tutte quelle preghiere del Rosario e le preghiere precedenti durante la visita all'Adorazione del Santissimo Sacramento non erano state vane. C'era davvero una presenza de Il Signore nell'Eucaristia. Alla fine ho appreso che le preghiere del Rosario erano compatibili con la volontà del Signore e Lucy era davvero un beneficio per l'anima di mio fratello Mike e anche di sua moglie Diana. C'è davvero un tempo fissato per tutto, e c'è davvero un tempo per ogni evento sotto il cielo.

Circa un anno e mezzo dopo, durante le vacanze di primavera 2014, ero a Gloversville e Mike, Diana e Lucy erano in vacanza insieme a Myrtle Beach, nella Carolina del Sud. Mio fratello mi ha inviato un messaggio con foto. Era una foto di loro tre, Lucy indossava una camicia rosa con scritto, "sto per diventare una sorella maggiore."

Un paio di mesi dopo ero al Magic Kernel di Johnstown, New York, e ho ricevuto un altro sms da mio fratello. Erano nell'ufficio del dottore. L'immagine che mi ha inviato era un'immagine a ultrasuoni, contenente le parole "Baby A" e "Baby B". Mike e Diana stavano aspettando due gemelli, Lucy avrebbe avuto due fratelli più piccoli, a dicembre 2014.

Circa 18 mesi prima di ricevere questo annuncio da Mike e Diana, la festa del Corpus Domini è stata celebrata il 2 giugno 2013. In questo giorno la Chiesa celebra l'istituzione dell'Eucaristia. Questo giorno ha anche celebrato l'inizio dell'Adorazione Eucaristica Perpetua da parte del Decano della Contea di Fulton-Montgomery presso la Chiesa dello Spirito Santo a Gloversville, New York. Secondo il Catechismo della Chiesa Cattolica, poiché Cristo stesso è presente nel sacramento dell'altare, deve essere onorato con il culto dell'adorazione. "Visitare il Santissimo Sacramento è ... una prova di gratitudine, un'espressione di amore e un dovere di adorazione verso Cristo, nostro Signore". (CCC 1418) [1].

Quando Mike e Diana fecero l'annuncio che aspettavano di nuovo, ero già stato uno dei volontari che aiutavano a garantire che l'Adorazione del Santissimo Sacramento fosse esposta 24 ore su 24, 7 giorni su 7, presso la Chiesa, contribuendo a garantire che ci fosse un'Adoratrice ogni ora della giornata. L'unica volta in cui l'adorazione eucaristica perpetua non si verifica nella Chiesa durante la settimana è quando si celebra la messa o c'è un funerale.

Il 16 settembre 2014 ho ricevuto una telefonata da mio fratello Kolin intorno alle 5:30 di sera. Mike e Diana stavano andando in ospedale; Le acque di Diana si era appena rotte e la stavano portando di corsa all'Albany Medical Center!

Immediatamente dopo aver saputo quanto successo, sono andato in chiesa, ho partecipato all'adorazione e ho detto un rosario per Mike, Diana e i gemelli, chiedendo alla Beata Madre di pregare con me affinché andasse tutto bene quel giorno per mio fratello, sua moglie e i gemelli.

Poche ore dopo, ho ricevuto una telefonata da mia mamma che uno dei gemelli stava arrivando e che avevano dovuto portare di corsa Diana in sala operatoria.

Ancora una volta sono tornato all' Adorazione quella sera e ho detto un altro rosario. C'era un altro Adoratore già lì, non sapevo chi fosse, al momento, ma in seguito ho saputo che il suo nome era Gregg Wilbur. Prima di iniziare a pregare un altro rosario per Mike, Diana e i gemelli, ho detto a Gregg che avevo un'emergenza familiare e che il mio telefono poteva squillare mentre ero lì.

Ero all'ultimo rosario dell'Ave Maria quando mio fratello Kolin mi scrisse che i gemelli erano nati, entrambi sani e respiravano principalmente da soli. Mi rivolsi a Gregg, che era seduto dietro di me all'Adorazione, e gli dissi cosa fosse successo prima e gli dissi delle notizie che avevo appena ricevuto da Kolin. Gregg mi disse: "Oh mio Dio, non ci crederai, ma io ho due gemelli, entrambi hanno 8 anni ormai."

Il giorno successivo, il 17 settembre, iniziai per altri 54 giorni la Novena del Rosario chiedendo alla Beata Madre di pregare con me affinché i gemelli tornassero a casa dall' Albany Med NICU sia felici che sani. 6 giorni dopo aver finito la 54esima Novena del Rosario e esattamente 60 giorni dopo la loro nascita, Mike e Diana poterono portare a casa Jackson e Finley Hallenbeck!

Alla fine, una volta che i gemelli furono tutti a casa e si stabilirono, ebbi l'opportunità di condividere l'intera storia con Diana; come avevo comprato un rosario per la nonna, poi uno per me stesso e successivamente pregato tre novene del rosario di 54 giorni affinché Mike e lei avessero un bambino.

Immediatamente dopo averle raccontato l'intera storia, collegò che ora aveva tre figli, sorridendo da un orecchio all'altro, la prima cosa che Diana mi disse in risposta fu:

"Grazie per aver detto solo tre."

In conclusione, ho tre cose che vorrei che tutti ricordassero e imparassero da questa storia.

1. Padre Rendell aveva ragione di nuovo nel 2011. Le preghiere davanti al Santissimo Sacramento sono molto potenti. E quando preghi, ricordati che otterrai ciò che chiedi se è compatibile con la volontà del Signore e se è per il bene della tua anima o dell'anima della persona per cui stai pregando. In termini specifici della Novena del Rosario di 54 giorni, indipendentemente dal fatto che l'intenzione della preghiera sia stata ricevuta o meno dopo i primi 27 giorni (3 novene), devi ancora dire le 3 novene di preghiera del Rosario (27 giorni) nel Giorno del Ringraziamento. A volte le tue preghiere potrebbero ricevere risposta entro 27 o 54 giorni, a volte potrebbero volerci circa 60 giorni, altre volte potrebbero volerci 739 giorni, o forse anche di più. Indipendente da quanto sia lungo il tempo necessario per avere risposta alle vostre preghiere, non dimenticate le capacità e la vera presenza del Signore nell'Eucaristia. Attraverso il Rosario e l'Adorazione, otterrai tutto ciò che chiedi, MA di nuovo solo se è compatibile con la volontà del Signore e se è per il bene della tua anima o dell'anima della persona per cui stai pregando.

Infine, come accennato in precedenza: non dimenticare,

"C'è un tempo fissato per tutto e c'è un tempo per ogni evento celeste" (ECC. 3: 1).

2. Il 21 aprile 2015 fu pubblicato un articolo su ewtnnews.com che raccontava la storia di un vescovo nigeriano di nome Bishop Oliver che era nella sua cappella l'anno scorso alla fine del 2014. Il vescovo era nella sua cappella a pregare il Rosario prima dell'Adorazione del Santissimo Sacramento, quando improvvisamente apparve Gesù. All'inizio Gesù non disse nulla, ma estese una spada al vescovo. Il vescovo Oliver prese la spada e, mentre andava a prenderla, la spada si trasformò in un rosario. Quindi Gesù disse al vescovo Oliver:

"Boko Haram non c'è più. Boko Haram non c'è più. Boko Haram non c'è più."

Nel 2009 c'erano circa 125.000 cattolici nella diocesi del vescovo Oliver in Nigeria, tuttavia dopo un'ondata di violenza da parte del gruppo estremista islamista chiamato Boko Haram, oggi nel 2015 rimangono solo 50-60 mila cattolici. Era chiaro al vescovo Oliver che cosa intendeva Gesù quando gli disse tre volte: "Boko Haram è sparito". Gesù intendeva dire che con il potere del Rosario saremmo stati in grado di espellere Boko Haram. 6

Per favore, condividi questa storia dalla Nigeria con i tuoi amici, familiari e parrocchie e chiedi loro di pregare il Rosario con te per questa petizione secondo cui Dio, Gesù e lo Spirito Santo aiuteranno a rimuovere i pericoli e la persecuzione dei cristiani dimostrati da Boko Haram e ISIS. Il Rosario che il vescovo Oliver stava eseguendo, è lo stesso che anche voi ed io possiamo pregare. Se possibile, consiglio vivamente di pregare il Rosario mentre si frequenta l'Adorazione del Santissimo Sacramento. Pregando il Rosario, partecipando alla Messa per celebrare l'Eucaristia e visitando l'Adorazione del Santissimo Sacramento non solo avrai l'opportunità di cambiare la tua vita, ma insieme sia io che te insieme all'aiuto della Beata Madre Maria possiamo aiutare a cambiare il mondo per renderlo un posto migliore in cui vivere.

3. Quando hai iniziato a leggere la storia ispiratrice della 54 esima Novena del Rosario a Gloversville, New York, ti ho detto che c'erano 3 cose che ho imparato che mi hanno colpito subito dopo aver ottenuto il mio primo set di rosari.

La prima cosa che ho imparato ê stata la Miracolosa Novena del Rosario di 54 giorni.

La seconda cosa che ho imparato è stata la potenza del Rosario e dello Scapolare che lavorano insieme.

La terza cosa che ho imparato, e che si è distinta per me, è accaduta mentre leggevo l'eccellente libro di Saint Louis De Montfort, Il Segreto del Rosario. All'interno della copertina de Il Segreto del Rosario v'è una citazione dalla Beata Madre Maria a San Domenico, si legge:

"Un giorno attraverso il Rosario e lo Scapolare,
Salverò il mondo. [7]

La storia della Novena del Rosario di 54 giorni di Gloversville, New York, è quella che volevo condividere con te per esporre eventi nella mia vita e nella mia famiglia che ritraggono momenti speciali che coinvolgono la preghiera, un sacramento e una fede rafforzata.

Oggi, proprio adesso, rendi questo momento un momento speciale della tua vita e inizia a pregare la Novena del Rosario di 54 giorni. Anche se l'occasione è presente nella tua zona, ti incoraggio vivamente a pregare il Rosario in compagnia dell'Adorazione del Santissimo Sacramento.

La beata Madre Teresa di Calcutta una volta disse: "Il tempo che passi con Gesù nel Santissimo Sacramento è il momento migliore che trascorrerai sulla Terra. Ogni momento che trascorri con Gesù approfondirà la tua unione con Lui e renderà la tua anima sempre più gloriosa e bella in Cielo, e contribuirà a portare la pace eterna sulla

Terra ". [8]

Nel 1884, quando la Beata Madre Maria ci diede la Novena del Rosario di 54 giorni, cambiò la vita della famiglia Agrelli a Napoli, in Italia, quando furono benedetti con miracoli per la guarigione di Fortuna. 130 anni dopo cambiò la vita di mio fratello e sua moglie quando furono benedetti con miracoli per la nascita dei loro tre figli.

Ora è il momento di pregare la miracolosa Novena del Rosario di 54 giorni.

Spero che la preghiera della Novena del Rosario di 54 giorni in futuro ti porti preghiera gioiosa, felicità attraverso i sacramenti, fede rafforzata e abbondanza di benedizioni e miracoli nella tua vita.

POSTFAZIONE

La storia che hai appena letto originariamente ha fatto il suo debutto come discorso di testimonianza che ho tenuto il 7 giugno 2015 durante la celebrazione del 2 °anniversario dell'adorazione eucaristica perpetua presso la Chiesa dello Spirito Santo a Gloversville, New York. Il giorno dopo il discorso, ricevetti un'e-mail da Gregg Wilbur. Mi ha fatto piacere leggerla e vorrei condividerla anche con te.

Una copia dell'email originale di Gregg è inclusa di seguito:

8 giugno 2015

Ciao Chris,

Ricordo bene la notte in cui sei andato nella cappella dell'adorazione per pregare per i gemelli. Sono così felice che Dio li abbia portati in modo sicuro attraverso tutto.

La nostra storia è che, quando Kim e io ci siamo sposati abbiamo pregato affinchè Dio ci benedisse con dei bambini. Ne intendevamo uno alla volta, ma in realtà non lo dicevamo. Dio ha risposto alla nostra preghiera quasi immediatamente ... e letteralmente ... concedendoci figli ... i nostri gemelli. Dio ascolta e risponde alla preghiera, anche se a modo suo, non nostro. La sua strada è sempre migliore.

Grazie per aver parlato all'evento di ieri. Hai fatto un ottimo lavoro.

Gregg Wilbur

LE 15 PROMESSE DI MARIA AI CRISTIANI
CHE PREGANO IL ROSARIO

Realizzato dalla Beata Vergine a San Domenico e il Beato Alano.

1. A tutti coloro che reciteranno devotamente il mio Rosario, prometto la mia speciale protezione e le mie grandissime grazie.

2. Coloro che persevereranno nella recita del mio Rosario riceveranno una grazia notevole.

3. Il rosario sarà un'armatura molto potente contro l'inferno; distruggerà il vizio, libererà dal peccato e dissiperà l'eresia.

4. Il Rosario farà fiorire la virtù e le opere buone e porterà alle anime le misericordie divine più abbondanti; sostituirà nei cuori l'amore di Dio per l'amore del mondo, li eleverà a desiderare beni celesti ed eterni. Oh, quelle anime si santificerebbero in questo modo!

5. "Colui che si affida a me con il Rosario, non perirà".

6. Coloro che reciteranno devotamente il mio Rosario, considerando i suoi Misteri, non saranno sopraffatti dalla sventura né moriranno di una brutta morte. Il peccatore deve essere convertito; i giusti cresceranno in grazia e diventeranno degni della vita eterna.

7. Coloro che sono veramente devoti al mio Rosario non moriranno senza le consolazioni della Chiesa o senza grazia.

8. Coloro che reciteranno il mio Rosario troveranno durante la loro vita e alla loro morte la luce di Dio, la pienezza della Sua grazia e condivideranno i meriti dei beati.

9. Libererò molto rapidamente dal purgatorio le anime dedicate al mio Rosario.

10. I veri figli del mio Rosario godranno di grande gloria in cielo.

11. *Ciò che chiedi tramite il mio Rosario, lo otterrai.*

12. Coloro che propagano il mio Rosario ottengono attraverso di me aiuti in tutte le loro necessità.

13. Grazie a mio Figlio tutti i confratelli del Rosario hanno per i loro fratelli, nella vita e nella morte, i santi del cielo.

14. Coloro che recitano fedelmente il mio Rosario sono tutti i miei amati figli, i fratelli e le sorelle di Gesù Cristo.

15. La devozione al mio Rosario è segno di speciale predestinazione.

COME PREGARE IL ROSARIO

L'immagine nella pagina successiva e i passaggi seguenti ti mostreranno come pregare il Rosario e mostreranno anche i passaggi su una serie di rosari *. Questi passaggi sono solo una panoramica. Sono presentati in ordine e in modo più dettagliato per ciascuno dei 54 giorni che seguono nella Novena del Rosario a Nostra Signora. Le preghiere individuali sono anche scritte per te nelle pagine che seguono per la Novena del Rosario a Nostra Signora.

Nota: l'immagine del rosario che mostra questi passaggi sui grani del rosario è stata utilizzata con il permesso della The Rosary Foundation su www.erosary.com

PASSAGGI DI COME PREGARE IL ROSARIO

1. Fai il segno della croce e dì il credo dell'apostolo.

2. Di 'una preghiera del Padre Nostro.

3. Di 'tre Preghiere dell'Ave Maria.

4. Dì una preghiera Gloria sia al Padre.

5. Dì una preghiera di Fatima.

6. Annuncia il Primo Mistero e dì una preghiera del Padre Nostro.

7. Di 'dieci preghiere consecutive di Ave Maria; medita sul primo mistero mentre stai pregando.

8. Dì una preghiera Gloria sia al Padre.

9. Dì una preghiera di Fatima.

10. Ripeti i passaggi 7, 8 e 9 per il secondo, terzo, quarto e quinto mistero del Rosario.

11. Dì una Preghiera Ave Regina.

12. Fai il segno della croce.

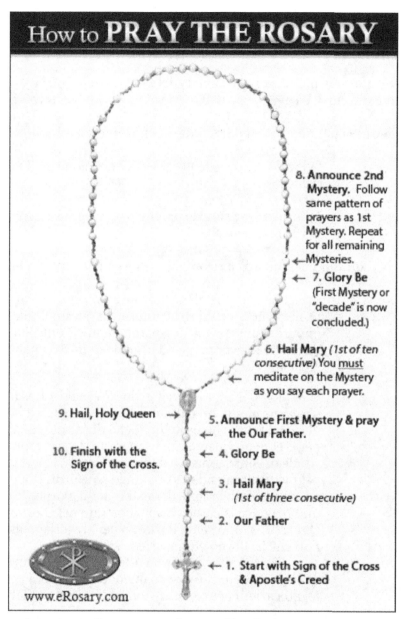

How to PRAY THE ROSARY

8. **Announce 2nd Mystery.** Follow same pattern of prayers as 1st Mystery. Repeat for all remaining ←Mysteries.

← 7. **Glory Be** (First Mystery or "decade" is now concluded.)

6. **Hail Mary** *(1st of ten consecutive)* You <u>must</u> ← meditate on the Mystery as you say each prayer.

9. **Hail, Holy Queen** →

5. **Announce First Mystery & pray** ← the Our Father.

10. **Finish with the Sign of the Cross.**

← 4. **Glory Be**

3. **Hail Mary** ← *(1st of three consecutive)*

← 2. **Our Father**

← 1. **Start with Sign of the Cross & Apostle's Creed**

www.eRosary.com

Immagine gentilmente concessa da Dan Rudden alla The Rosary Foundation.

COME RICORDARE A CHE GIORNO DEL ROSARIO SI E' ARRIVATI

Una delle sfide nel pregare la Novena del Rosario di 54 giorni è tenere traccia della giornata e della serie di misteri in cui ti trovi.

Le due cose più importanti da ricordare prima di pregare sono:

1.   I giorni 1-27 sono le preghiere di petizione per la tua richiesta.

2.   I giorni 28-54 sono le preghiere di ringraziamento per la tua richiesta.

Ecco 3 soluzioni per aiutarti a ricordare in che giorno stai pregando:

1.   Crea una checklist di 54 giorni su un pezzo di carta e usala come segnalibro all'interno di questo libro, oppure tienilo da parte separatamente. Controlla giorni dopo aver pregato l'insieme di misteri per la giornata.

2.   Quando ho iniziato a pregare la Novena del Rosario di 54 giorni non ho fatto una lista di date su un pezzo di carta. Invece ho usato un foglio di calcolo Excel per creare un calendario di 54 giorni. Un esempio simile di come appariva il mio file Excel è riportato a pagina 21. Il calendario era lungo 54 giorni. Dopo aver terminato la serie di misteri per il giorno, ombreggiavo la casella come mostrato nel Giorno 1. Qui la "J" rappresenta il Giorno dei Misteri gioiosi. Si noti che il Giorno 28 inizia le preghiere del "Ringraziamento". Il giorno 28 riavvierai la rotazione JLSG. Se ritieni che questo metodo funzionerà per te, le indicazioni per scaricare una copia gratuita del file sono disponibili all'indirizzo greatpointpublishing.com/store

3.   Infine, probabilmente il modo più semplice per ricordare in che giorno sei è usare la versione kindle di questo libro. Esso contiene tutti i 54 giorni e tutte le singole preghiere digitate per voi. Il segnalibro

elettronico nell'e-book ti aiuterà anche a ricordare in che giorno sei dopo aver finito l'insieme di misteri per il giorno. L'e-book è disponibile su amazon.com Vai su amazon e cerca semplicemente "54 Giorno Rosary Novena di Christopher Hallenbeck".

Giorno 1	Giorno 2	Giorno 3	Giorno 4	Giorno 5	Giorno 6
J	L	S	G	J	L
Giorno 7	Giorno 8	Giorno 9	Giorno 10	Giorno 11	Giorno 12
S	G	J	L	S	G
Giorno 13	Giorno 14	Giorno 15	Giorno 16	Giorno 17	Giorno 18
J	L	S	G	J	L
Giorno 19	Giorno 20	Giorno 21	Giorno 22	Giorno 23	Giorno 24
S	G	J	L	S	G
Giorno 25	Giorno 26	Giorno 27	Giorno 28	Giorno 29	Giorno 30
J	L	S	J	L	S

"Example of 54 Giorno Rosary Novena Calendar using Spreadsheet"

LA MIRACOLOSA NOVENA DEL ROSARIO DI 54 GIORNI A NOSTRA SIGNORA

LA NOVENA DEL ROSARIO A NOSTRA SIGNORA

I Gioiosi Misteri

Preghiera Novena della Madonna del Santo Rosario

Mia cara Madre Maria, guarda me, tuo figlio, in preghiera ai tuoi piedi. Accetta questo Santo Rosario, che ti offro secondo le tue richieste a Fatima, come prova del mio tenero amore per te, per le intenzioni del Sacro Cuore di Gesù, in espiazione per le offese commesse contro il tuo Cuore Immacolato, e per questo favore speciale che chiedo sinceramente nella mia Novena del Rosario:

(Menziona la tua richiesta).

Per favore, Madre Maria, ti prego di presentare la mia richiesta al tuo Divin Figlio. Se pregherai per me, non potrò essere rifiutato. So, cara Madre, che vuoi che io cerchi la santa Volontà di Dio riguardo alla mia richiesta. Se la mia petizione non è compatibile con la Santa Volontà di Dio, e ciò che chiedo non dovrebbe essere concesso; per favore prega affinché io possa ricevere ciò che sarà di grande beneficio per la mia anima o l'anima della persona per cui sto pregando.

Ti offro questo "Mazzo di rose" spirituale perché ti amo. Ho messo tutta la mia fiducia in te, dal momento che le tue preghiere davanti a Dio sono più potenti. Per la più grande gloria di Dio e per il bene di Gesù, il tuo amorevole Figlio, ascolta e esaudisci la mia preghiera. Dolce Cuore di Maria, sii la mia salvezza.

Preghiera della Novena del Rosario alla Madonna

Nel nome del Padre, del Figlio e dello Spirito Santo, Amen.

(1) Ave Maria

Ave, o Maria, piena di grazia, il Signore è con te. Tu sei benedetta fra le donne e benedetto è il frutto del tuo seno, Gesù Santa Maria, Madre di Dio, prega per noi peccatori, adesso e nell'ora della nostra morte. Amen.

In petizione ... (di 'la preghiera qui sotto quando preghi nei giorni 1-27.)

Ave, Regina del Santissimo Rosario, Madre Maria, Ave! Ai tuoi piedi mi inginocchio umilmente per offrirti una Corona di Rose - gemme bianche come la neve per ricordarti delle tue gioie - ogni gemma ti ricorda un santo mistero; ogni dieci legati insieme alla mia petizione per una grazia particolare. O Regina, dispensatrice di grazie di Dio e Madre di tutti coloro che invocano te! Non puoi guardare il mio dono e non vedere il suo legame. Come tu riceverai il mio dono, così riceverai la mia richiesta; dalla tua bontà tu mi darai il favore che così ardentemente e fiduciosamente cerco. Non desidero nulla di ciò che ti chiedo. Mostrati, Madre mia!

Dopo aver detto "Nella Preghiera della Petizione ..." "Continua con le Preghiere del Rosario nella pagina successiva.

Nel Ringraziamento .... (di 'la preghiera qui sotto durante i giorni 28-54).

Ave Regina del Santissimo Rosario mia Madre Maria, Ave! Ai tuoi piedi mi inginocchio con gratitudine per offrirti un "Germoglio di rose - gemme bianche come la neve ti ricordino le gioie del tuo divino Figlio - ogni rosa ti ricordi un santo mistero; ogni dieci legati insieme alla mia petizione per una grazia particolare. O santa Regina dispensatrice delle grazie di Dio e Madre di tutti coloro che ti invocano! Non puoi guardare il mio dono e non vedere il suo legame. Come tu riceverai il mio dono, così potrai ricevere il mio ringraziamento; dalla tua grazia mi hai dato il favore che ho cercato così seriamente e fiduciosamente. Non desidero nulla di quello che ti chiedo, mostrati, Madre mia!

Il Credo dell'Apostolo

Io credo in Dio, Padre onnipotente, creatore del cielo e della terra; e in Gesù Cristo, suo unico Figlio, nostro Signore, il quale fu concepito di Spirito Santo, nacque da Maria Vergine, patì sotto Ponzio Pilato, fu crocifisso, morì e fu sepolto; discese agli inferi; il terzo giorno risuscitò da morte; salì al cielo, siede alla destra di Dio Padre onnipotente; di là verrà a giudicare i vivi e i morti. Credo nello Spirito Santo, la santa Chiesa Cattolica, la Comunione dei santi, la remissione dei peccati, la risurrezione della carne, la vita eterna. Amen.

(1) Padre Nostro

Padre nostro, che sei nei cieli, sia santificato il tuo nome, venga il tuo regno, sia fatta la tua volontà come in cielo così in terra. Dacci oggi il nostro pane quotidiano, e rimetti a noi i nostri debiti come noi li rimettiamo ai nostri debitori, e non ci indurre in tentazione, ma liberaci dal male. Amen.

Le 3 perle di Ave Maria

Per un aumento della virtù della fede ... prego umilmente:

(1) Ave Maria

Ave, o Maria, piena di grazia, il Signore è con te. Tu sei benedetta fra le donne e benedetto è il frutto del tuo seno, Gesù Santa Maria, Madre di Dio, prega per noi peccatori, adesso e nell'ora della nostra morte. Amen.

Per un aumento della virtù della speranza ... prego umilmente:

(1) Ave Maria

Ave, o Maria, piena di grazia, il Signore è con te. Tu sei benedetta fra le donne e benedetto è il frutto del tuo seno, Gesù Santa Maria, Madre di Dio, prega per noi peccatori, adesso e nell'ora della nostra morte. Amen.

Per un aumento della virtù della carità ... Prego umilmente:

(1) Ave Maria
Ave, o Maria, piena di grazia, il Signore è con te. Tu sei benedetta fra le donne e benedetto è il frutto del tuo seno, Gesù Santa Maria, Madre di Dio, prega per noi peccatori, adesso e nell'ora della nostra morte. Amen.

(1) Gloria sia
Gloria al Padre e al Figlio e allo Spirito Santo. Come era nel principio, ora e sempre nei secoli dei secoli. Amen.

(1) Oh mio Gesù
O Gesù, perdona le nostre colpe, preservaci dal fuoco dell'inferno, porta in cielo tutte le anime, specialmente le più bisognose della vostra misericordia. Amen.

L'ANNUNCIAZIONE

Dolce Madre Maria, meditando sul Mistero dell'Annunciazione, di cui leggiamo in Luca 1: 26-38 e Giovanni 1:14. Quando l'arcangelo Gabriele ti apparve con le novelle che tu eri diventata la Madre di Dio, salutandoti con quel sublime saluto, "Ave, piena di grazia! Il Signore è con te!" e ti sei sottomessa umilmente alla volontà del Padre, rispondendo: "Ecco l'ancella del Signore. Sia fatto a me secondo la tua parola".

Meditando sul mistero dell'Annunciazione e pregando per una maggiore virtù dell'umiltà ... prego umilmente

(1) Padre Nostro

Padre nostro, che sei nei cieli, sia santificato il tuo nome, venga il tuo regno, sia fatta la tua volontà come in cielo così in terra. Dacci oggi il nostro pane quotidiano, e rimetti a noi i nostri debiti come noi li rimettiamo ai nostri debitori, e non ci indurre in tentazione, ma liberaci dal male. Amen.

(10) Ave Maria

Ave, o Maria, piena di grazia, il Signore è con te. Tu sei benedetta fra le donne e benedetto è il frutto del tuo seno, Gesù Santa Maria, Madre di Dio, prega per noi peccatori, adesso e nell'ora della nostra morte. Amen.

(1) Gloria sia

Gloria al Padre e al Figlio e allo Spirito Santo. Come era nel principio, ora e sempre nei secoli dei secoli. Amen.

(1) Oh mio Gesù

O Gesù, perdona le nostre colpe, preservaci dal fuoco dell'inferno, porta in cielo tutte le anime, specialmente le più bisognose della vostra misericordia. Amen.

Mi legano questi boccioli bianchi come la neve con una petizione

per la virtù dell'

UMILTÀ

e poggio umilmente questo mazzo ai tuoi piedi

LA VISITAZIONE

Dolce Madre Maria, meditando sul Mistero della Visitazione, di cui leggiamo in Luca 1: 39-56. Quando, durante la tua visita a tua cugina santa Elisabetta, ti ha salutato con la frase profetica: "Tu sei benedetta tra le donne e benedetto è il frutto del tuo grembo!" E tu hai risposto con quel cantico di cantici, il Magnificat.

Meditando sul mistero della Visitazione, e pregando per una maggiore virtù della carità, la mia umile preghiera ...

(1) Padre Nostro

Padre nostro, che sei nei cieli, sia santificato il tuo nome, venga il tuo regno, sia fatta la tua volontà come in cielo così in terra. Dacci oggi il nostro pane quotidiano, e rimetti a noi i nostri debiti come noi li rimettiamo ai nostri debitori, e non ci indurre in tentazione, ma liberaci dal male. Amen.

(10) Ave Maria

Ave, o Maria, piena di grazia, il Signore è con te. Tu sei benedetta fra le donne e benedetto è il frutto del tuo seno, Gesù Santa Maria, Madre di Dio, prega per noi peccatori, adesso e nell'ora della nostra morte. Amen.

(1) Gloria sia

Gloria al Padre e al Figlio e allo Spirito Santo. Come era nel principio, ora e sempre nei secoli dei secoli. Amen.

(1) Oh mio Gesù

O Gesù, perdona le nostre colpe, preservaci dal fuoco dell'inferno, porta in cielo tutte le anime, specialmente le più bisognose della vostra misericordia. Amen.

Mi legano questi boccioli bianchi come la neve con una petizione

per la virtù della

CARITÀ

e stendi umilmente questo mazzo ai tuoi piedi.

LA NATIVITA'

Dolce Madre Maria, meditando sul mistero della Natività di Nostro Signore, di cui leggiamo in Matteo 1: 18-25. Quando, completato il tuo tempo, hai fatto nascere, o santa Vergine, il Redentore del mondo in una stalla a Betlemme. Al che cori di angeli riempirono i cieli con il loro esultante canto di lode –– "Gloria a Dio nel più alto e sulla terra pace agli uomini di buona volontà"

Meditando sul mistero della Natività e pregando per un aumento della virtù del distacco dal mondo, prego umilmente ...

(1) Padre Nostro

Padre nostro, che sei nei cieli, sia santificato il tuo nome, venga il tuo regno, sia fatta la tua volontà come in cielo così in terra. Dacci oggi il nostro pane quotidiano, e rimetti a noi i nostri debiti come noi li rimettiamo ai nostri debitori, e non ci indurre in tentazione, ma liberaci dal male. Amen.

(10) Ave Maria

Ave, o Maria, piena di grazia, il Signore è con te. Tu sei benedetta fra le donne e benedetto è il frutto del tuo seno, Gesù Santa Maria, Madre di Dio, prega per noi peccatori, adesso e nell'ora della nostra morte. Amen.

(1) Gloria sia

Gloria al Padre e al Figlio e allo Spirito Santo. Come era nel principio, ora e sempre nei secoli dei secoli. Amen.

(1) Oh mio Gesù

O Gesù, perdona le nostre colpe, preservaci dal fuoco dell'inferno, porta in cielo tutte le anime, specialmente le più bisognose della vostra misericordia. Amen.

Mi legano questi boccioli bianchi come la neve con una petizione

per la virtù del

DISTACCO DAL MONDO

e stendo umilmente questo mazzo ai tuoi piedi.

LA PRESENTAZIONE

Dolce Madre Maria, meditando sul Mistero della Presentazione, di cui leggiamo in Luca 2: 22-39; quando, in obbedienza alla Legge di Mosè, hai presentato tuo Figlio nel Tempio, dove il santo profeta Simeone, prendendo il Bambino tra le sue braccia, offrì grazie a Dio per averlo risparmiato dal guardare il suo Salvatore e predisse le tue sofferenze con le parole: "Anche la tua anima perforerà una spada ..."

Meditando sul mistero della presentazione del Signore e pregando
per un aumento della virtù della purezza, prego umilmente ...

(1) Padre Nostro

Padre nostro, che sei nei cieli, sia santificato il tuo nome, venga il
tuo regno, sia fatta la tua volontà come in cielo così in terra. Dacci
oggi il nostro pane quotidiano, e rimetti a noi i nostri debiti come
noi li rimettiamo ai nostri debitori, e non ci indurre in tentazione,
ma liberaci dal male. Amen.

(10) Ave Maria

Ave, o Maria, piena di grazia, il Signore è con te. Tu sei benedetta
fra le donne e benedetto è il frutto del tuo seno, Gesù Santa Maria,
Madre di Dio, prega per noi peccatori, adesso e nell'ora della nostra
morte. Amen.

(1) Gloria sia

Gloria al Padre e al Figlio e allo Spirito Santo. Come era nel
principio, ora e sempre nei secoli dei secoli. Amen.

(1) Oh mio Gesù

O Gesù, perdona le nostre colpe, preservaci dal fuoco dell'inferno,
porta in cielo tutte le anime, specialmente le più bisognose della
vostra misericordia. Amen.

Mi legano questi boccioli bianchi come la neve con una petizione

per la virtù della

PUREZZA

e stendo umilmente questo mazzo ai tuoi piedi.

IL RITROVAMENTO DEL BAMBINO GESÙ NEL TEMPIO

Dolce Madre Maria, meditando sul mistero del ritrovamento di Gesù Bambino nel tempio, di cui leggiamo in Luca 2: 41-51. Quando, dopo averlo cercato per tre giorni, addolorata, il tuo cuore si rallegrò di averlo trovato nel Tempio parlando con i dottori. E quando, su tua richiesta, è tornato ubbidientemente a casa con te.

Meditando sul mistero del ritrovamento del bambino Gesù nel tempio e pregando per un aumento della virtù dell'obbedienza alla volontà di Dio, prego umilmente ...

(1) Padre Nostro

Padre nostro, che sei nei cieli, sia santificato il tuo nome, venga il tuo regno, sia fatta la tua volontà come in cielo così in terra. Dacci oggi il nostro pane quotidiano, e rimetti a noi i nostri debiti come noi li rimettiamo ai nostri debitori, e non ci indurre in tentazione, ma liberaci dal male. Amen.

(10) Ave Maria

Ave, o Maria, piena di grazia, il Signore è con te. Tu sei benedetta fra le donne e benedetto è il frutto del tuo seno, Gesù Santa Maria, Madre di Dio, prega per noi peccatori, adesso e nell'ora della nostra morte. Amen.

(1) Gloria sia

Gloria al Padre e al Figlio e allo Spirito Santo. Come era nel principio, ora e sempre nei secoli dei secoli. Amen.

(1) Oh mio Gesù

O Gesù, perdona le nostre colpe, preservaci dal fuoco dell'inferno, porta in cielo tutte le anime, specialmente le più bisognose della vostra misericordia. Amen.

Mi legano questi boccioli bianchi come la neve con una petizione

per la virtù della

OBBEDIENZA ALLA VOLONTÀ di DIO

e stendo umilmente questo mazzo ai tuoi piedi.

COMUNIONE SPIRITUALE

MIO GESÙ, veramente presente nel Santissimo Sacramento dell'Altare, poiché ora non posso riceverti sotto il velo sacramentale, ti supplico, con un cuore pieno di amore e desiderio, di venire spiritualmente nella mia anima attraverso il cuore immacolato della Tua santissima Madre, e rimani con me per sempre; Tu in me e io in Te, nel tempo e nell'eternità, in Maria. Amen.

In petizione (ad esempio, pregando 1-27 giorni)

Dolce Madre Maria, ti offro questa comunione spirituale per legare i miei mazzi di fiori in una corona da porre sulla tua fronte. O madre mia! guarda con favore il mio dono e nel tuo amore ottieni per me: *(specifica la richiesta)* Ma di nuovo solo se la mia richiesta è compatibile con la Santa Volontà di Dio, e se è per il meglio della mia anima o dell'anima della persona per la quale sto pregando. Per questa petizione, o Regina del Santo Rosario, prego umilmente chiedendo la tua intercessione; *(Ave Maria ... Ave Regina Santa ...)*

Nel giorno del ringraziamento (dire quando pregate i giorni 28-54)

Dolce Madre Maria, ti offro questa Comunione spirituale per legare i miei mazzi in una corona da porre sulla tua fronte in segno di ringraziamento per *(specifica la richiesta)* che tu hai ottenuto nel tuo amore per me. Grazie, Madre Maria, prego umilmente

(1) Ave Maria
Ave, o Maria, piena di grazia, il Signore è con te. Tu sei benedetta fra le donne e benedetto è il frutto del tuo seno, Gesù Santa Maria, Madre di Dio, prega per noi peccatori, adesso e nell'ora della nostra morte. Amen.

Ave, Regina Santa
Salve, Regina, madre di misericordia, vita, dolcezza e speranza nostra, salve. A te ricorriamo, esuli figli di Eva; a te sospiriamo, gementi e piangenti in questa valle di lacrime. Orsù dunque, avvocata nostra, rivolgi a noi gli occhi tuoi misericordiosi. E mostraci, dopo questo esilio, Gesù, il frutto benedetto del tuo seno. O clemente, o pia, o dolce Vergine Maria. Amen.

PREGHIAMO
O Dio! Il cui Figlio unigenito, con la sua vita, morte e risurrezione, ha ottenuto per noi la ricompensa della vita eterna; concedi, Ti supplichiamo, che meditando su questi misteri del Santissimo Rosario della Beata Vergine Maria, possiamo imitare ciò che contengono e ottenere ciò che promettono. Attraverso lo stesso Cristo nostro Signore. Amen.

Possa l'assistenza divina rimanere sempre con noi. Amen. E possano le anime dei fedeli partire, per la misericordia *di* Dio, riposare in pace. Amen. Santa Vergine, con il tuo amorevole Figlio, la tua benedizione ci dà questo giorno *(notte)*.

Memorare
Ricorda, o gentilissima Vergine Maria, che non si è mai sentito che qualcuno che fosse sfuggito alla tua protezione, ed avesse implorato il tuo aiuto o avesse cercato la tua intercessione, fosse rimasto senza aiuto. Ispirati da questa fiducia, voliamo a te, o Vergine delle vergini, Madre mia; a te veniamo, davanti a te siamo peccaminosi e dolorosi; O Madre della Parola Incarnata, non disprezzare le nostre petizioni, ma nella tua misericordia ascoltale e rispondi. Amen.

Preghiera di San Michele
San Michele, l'Arcangelo, ci difende in battaglia. Sii la nostra protezione contro la malvagità e le trappole del diavolo. Che Dio lo rimproveri, preghiamo umilmente; e tu, o Principe dell'ostia celeste, con il potere di Dio hai gettato all'inferno Satana e tutti gli spiriti maligni che si aggirano per il mondo in cerca della rovina delle anime. Amen.

Segno della croce
Nel nome del Padre, del Figlio e dello Spirito Santo, Amen.

LA NOVENA DEL ROSARIO A NOSTRA SIGNORA

I Misteri Luminosi

Preghiera Novena della Madonna del Santo Rosario

Mia cara Madre Maria, guarda me, tuo figlio, in preghiera ai tuoi piedi. Accetta questo Santo Rosario, che ti offro secondo le tue richieste a Fatima, come prova del mio tenero amore per te, per le intenzioni del Sacro Cuore di Gesù, in espiazione per le offese commesse contro il tuo Cuore Immacolato, e per questo favore speciale che chiedo sinceramente nella mio Novena del Rosario:

(Menziona la tua richiesta).

Per favore, Madre Maria, ti prego di presentare la mia richiesta al tuo Divin Figlio. Se pregherai per me, non potrò essere rifiutato. So, cara Madre, che vuoi che io cerchi la santa Volontà di Dio riguardo alla mia richiesta. Se la mia petizione non è compatibile con la Santa Volontà di Dio, e ciò che chiedo non dovrebbe essere concesso; per favore prega affinché io possa ricevere ciò che sarà il di grande beneficio per la mia anima o l'anima della persona per cui sto pregando.

Ti offro questo "Mazzo di rose" spirituale perché ti amo. Ho messo tutta la mia fiducia in te, dal momento che le tue preghiere davanti a Dio sono più potenti. Per la maggior gloria di Dio e per il bene di Gesù, il tuo amorevole Figlio, ascolta e esaudisci la mia preghiera. Dolce Cuore di Maria, sii la mia salvezza.

La Preghiera Della Novena del Rosario alla Madonna

Nel nome del Padre, del Figlio e dello Spirito Santo, Amen.

(1) Ave Maria

Ave, o Maria, piena di grazia, il Signore è con te. Tu sei benedetta fra le donne e benedetto è il frutto del tuo seno, Gesù Santa Maria, Madre di Dio, prega per noi peccatori, adesso e nell'ora della nostra morte. Amen.

In petizione ... (di 'la preghiera qui sotto quando preghi nei giorni 1-27).

Ave, Regina del Santissimo Rosario, Madre Maria, ave! Ai tuoi piedi mi inginocchio umilmente per offrirti una Corona di Rose - rose di un giallo brillante che ricordano il ministero di tuo figlio - ogni gemma che ti ricorda un santo mistero; ogni dieci legati insieme alla mia petizione per una grazia particolare. O Regina, dispensatrice di grazie di Dio e Madre di tutti coloro che invocano te! Non puoi guardare il mio dono e non vedere il suo legame. Come ricevi il mio dono, così riceverai la mia richiesta; dalla tua bontà tu mi darai il favore che così ardentemente e fiduciosamente cerco. Non desidero nulla di ciò che ti chiedo. Mostrati, Madre mia!!

After saying "Nella preghiera della petizione ..."" Continua con le Preghiere del Rosario sulla pagina seguente.

Nel Ringraziamento .... (di 'la preghiera qui sotto durante i giorni 28-54).

Ave Regina del Santissimo Rosario mia Madre Maria, Ave! Ai tuoi piedi mi inginocchio con gratitudine per offrirti una Corona di Rose gialle luminose per ricordarti il ministero di tuo figlio - ogni rosa che ti ricorda un santo mistero; ogni dieci legati insieme alla mia petizione per una grazia particolare. O santa Regina dispensatrice delle grazie di Dio e Madre di tutti coloro che ti invocano! Non puoi guardare il mio dono e non vedere il suo legame. Come tu riceverai il mio dono, così potrai ricevere il ringraziamento; dalla tua bontà mi hai dato il favore che così ardentemente e fiduciosamente cercavo. Non desidero nulla di quello che ti chiedo e ti sei davvero mostrata Madre mia!

Il Credo dell'Apostolo

Io credo in Dio, Padre onnipotente, creatore del cielo e della terra; e in Gesù Cristo, suo unico Figlio, nostro Signore, il quale fu concepito di Spirito Santo, nacque da Maria Vergine, patì sotto Ponzio Pilato, fu crocifisso, morì e fu sepolto; discese agli inferi; il terzo giorno risuscitò da morte; salì al cielo, siede alla destra di Dio Padre onnipotente; di là verrà a giudicare i vivi e i morti. Credo nello Spirito Santo, la santa Chiesa Cattolica, la Comunione dei santi, la remissione dei peccati, la risurrezione della carne, la vita eterna. Amen.

(1) Padre Nostro

Padre nostro, che sei nei cieli, sia santificato il tuo nome, venga il tuo regno, sia fatta la tua volontà come in cielo così in terra. Dacci oggi il nostro pane quotidiano, e rimetti a noi i nostri debiti come noi li rimettiamo ai nostri debitori, e non ci indurre in tentazione, ma liberaci dal male. Amen.

Le 3 perle di Ave Maria

Per un aumento della virtù della fede ... prego umilmente:

(1) Ave Maria

Ave, o Maria, piena di grazia, il Signore è con te. Tu sei benedetta fra le donne e benedetto è il frutto del tuo seno, Gesù Santa Maria, Madre di Dio, prega per noi peccatori, adesso e nell'ora della nostra morte. Amen.

Per un aumento della virtù della speranza ... prego umilmente:

(1) Ave Maria

Ave, o Maria, piena di grazia, il Signore è con te. Tu sei benedetta fra le donne e benedetto è il frutto del tuo seno, Gesù Santa Maria, Madre di Dio, prega per noi peccatori, adesso e nell'ora della nostra morte. Amen.

Per un aumento della virtù della carità ... Prego umilmente:

(1) Ave Maria
Ave, o Maria, piena di grazia, il Signore è con te. Tu sei benedetta fra le donne e benedetto è il frutto del tuo seno, Gesù Santa Maria, Madre di Dio, prega per noi peccatori, adesso e nell'ora della nostra morte. Amen.

(1) Gloria sia
Gloria al Padre e al Figlio e allo Spirito Santo. Come era nel principio, ora e sempre nei secoli dei secoli. Amen.

(1) Oh mio Gesù
O Gesù, perdona le nostre colpe, preservaci dal fuoco dell'inferno, porta in cielo tutte le anime, specialmente le più bisognose della vostra misericordia. Amen.

IL PRIMO MISTERO DELLA LUCE

IL BATTESIMO DI GESÙ NEL FIUME GIORDANO

O coraggiosa Madre Maria, meditando sul Mistero del Battesimo di Gesù nel fiume Giordano di cui leggiamo in Matteo 3: 11-17; Marco 1: 9-11; Luca 3: 15-22 e Giovanni 1: 26-34. Quando tuo figlio, come esempio per tutti, insistette per essere battezzato da suo cugino Giovanni e il cielo si aprì e lo Spirito Santo scese da lui come una colomba e una voce dal cielo disse: "Sei il mio caro Figlio nel quale sono felice ".

Meditando sul battesimo di Gesù nel fiume Giordano e pregando per un aumento della virtù dell'apertura allo Spirito Santo, prego umilmente ...

(1) Padre Nostro

Padre nostro, che sei nei cieli, sia santificato il tuo nome, venga il tuo regno, sia fatta la tua volontà come in cielo così in terra. Dacci oggi il nostro pane quotidiano, e rimetti a noi i nostri debiti come noi li rimettiamo ai nostri debitori, e non ci indurre in tentazione, ma liberaci dal male. Amen.

(10) Ave Maria

Ave, o Maria, piena di grazia, il Signore è con te. Tu sei benedetta fra le donne e benedetto è il frutto del tuo seno, Gesù Santa Maria, Madre di Dio, prega per noi peccatori, adesso e nell'ora della nostra morte. Amen.

(1) Gloria sia

Gloria al Padre e al Figlio e allo Spirito Santo. Come era nel principio, ora e sempre nei secoli dei secoli. Amen.

(1) Oh mio Gesù

O Gesù, perdona le nostre colpe, preservaci dal fuoco dell'inferno, porta in cielo tutte le anime, specialmente le più bisognose della vostra misericordia. Amen.

Lego queste rose gialle brillanti con una petizione per la virtù di
APERTURA ALLO SPIRITO SANTO
e stendo umilmente questo mazzo ai tuoi piedi.

IL SECONDO MISTERO DELLA LUCE

IL MATRIMONIO DI CANA ... IL PRIMO MIRACOLO DI GESÙ ...

O coraggiosa Madre Maria, meditando sul mistero del primo miracolo di Gesù alla festa nuziale di Cana, la storia di cui leggiamo in Giovanni 2: 1-12, quando su tua richiesta, tuo figlio compì il primo dei suoi numerosi miracoli aiutando una coppia a celebrare il loro matrimonio trasformando l'acqua in un vino di tale qualità che il capo amministratore rimproverò l'ospite dicendo: "Di solito le persone servono prima il vino migliore e risparmiano il vino più economico per ultimo, ma hai salvato il vino scelto per ultimo ".

Meditando sul mistero della festa nuziale di Cana e pregando per un aumento della virtù di A Gesù attraverso Maria, prego umilmente ...

(1) Padre Nostro

Padre nostro, che sei nei cieli, sia santificato il tuo nome, venga il tuo regno, sia fatta la tua volontà come in cielo così in terra. Dacci oggi il nostro pane quotidiano, e rimetti a noi i nostri debiti come noi li rimettiamo ai nostri debitori, e non ci indurre in tentazione, ma liberaci dal male. Amen.

(10) Ave Maria

Ave, o Maria, piena di grazia, il Signore è con te. Tu sei benedetta fra le donne e benedetto è il frutto del tuo seno, Gesù Santa Maria, Madre di Dio, prega per noi peccatori, adesso e nell'ora della nostra morte. Amen.

(1) Gloria sia

Gloria al Padre e al Figlio e allo Spirito Santo. Come era nel principio, ora e sempre nei secoli dei secoli. Amen.

(1) Oh mio Gesù

O Gesù, perdona le nostre colpe, preservaci dal fuoco dell'inferno, porta in cielo tutte le anime, specialmente le più bisognose della vostra misericordia. Amen.

Lego queste rose gialle brillanti con una petizione per la virtù di

A GESÙ ATTRAVERSO MARIA

e poso umilmente questo mazzo ai tuoi piedi.

IL TERZO MISTERO DELLA LUCE

LA PROCLAMAZIONE DEL REGNO DI DIO

O coraggiosa Madre Maria, meditando sul Mistero della Proclamazione del Regno di Dio, la storia di cui leggiamo in Marco 1: 14-15, Matteo 5: 1-16, Matteo 6:33 e anche Matteo 7:21 , quando tuo figlio ha rivelato che il regno di Dio è già iniziato "dentro di noi" e siamo chiamati alla conversione e al perdono, pregando "Venga il tuo regno, sia fatta la tua volontà, come in cielo così in Terra".

Meditando sul mistero della proclamazione del Regno di Dio e pregando per un aumento della virtù del pentimento e la fiducia in Dio, prego umilmente ...

(1) Padre Nostro

Padre nostro, che sei nei cieli, sia santificato il tuo nome, venga il tuo regno, sia fatta la tua volontà come in cielo così in terra. Dacci oggi il nostro pane quotidiano, e rimetti a noi i nostri debiti come noi li rimettiamo ai nostri debitori, e non ci indurre in tentazione, ma liberaci dal male. Amen.

(10) Ave Maria

Ave, o Maria, piena di grazia, il Signore è con te. Tu sei benedetta fra le donne e benedetto è il frutto del tuo seno, Gesù Santa Maria, Madre di Dio, prega per noi peccatori, adesso e nell'ora della nostra morte. Amen.

(1) Gloria sia

Gloria al Padre e al Figlio e allo Spirito Santo. Come era nel principio, ora e sempre nei secoli dei secoli. Amen.

(1) Oh mio Gesù

O Gesù, perdona le nostre colpe, preservaci dal fuoco dell'inferno, porta in cielo tutte le anime, specialmente le più bisognose della vostra misericordia. Amen.

Lego queste rose gialle brillanti con una petizione per la virtù di
PENTIMENTO E FIDUCIA IN DIO
e poso umilmente questo mazzo ai tuoi piedi.

LA TRASFIGURAZIONE

O coraggiosa Madre Maria, meditando sul Mistero della Trasfigurazione, la storia di cui leggiamo in Matteo 17: 1-8, Marco 9: 2-10 e Luca 9: 28-36, quando tuo figlio rivelò la sua gloria ai suoi tre discepoli, che appaiono su una montagna con Mosè ed Elia, il suo viso risplende come il sole e una voce dal cielo che proclama: "Questo è il mio amato Figlio ... Ascoltalo."

Meditando sul mistero della trasfigurazione e pregando per un aumento della virtù del desiderio di santità, prego umilmente ...

(1) Padre Nostro

Padre nostro, che sei nei cieli, sia santificato il tuo nome, venga il tuo regno, sia fatta la tua volontà come in cielo così in terra. Dacci oggi il nostro pane quotidiano, e rimetti a noi i nostri debiti come noi li rimettiamo ai nostri debitori, e non ci indurre in tentazione, ma liberaci dal male. Amen.

(10) Ave Maria

Ave, o Maria, piena di grazia, il Signore è con te. Tu sei benedetta fra le donne e benedetto è il frutto del tuo seno, Gesù Santa Maria, Madre di Dio, prega per noi peccatori, adesso e nell'ora della nostra morte. Amen.

(1) Gloria sia

Gloria al Padre e al Figlio e allo Spirito Santo. Come era nel principio, ora e sempre nei secoli dei secoli. Amen.

(1) Oh mio Gesù

O Gesù, perdona le nostre colpe, preservaci dal fuoco dell'inferno, porta in cielo tutte le anime, specialmente le più bisognose della vostra misericordia. Amen.

Lego queste rose gialle brillanti con una petizione per la virtù del
DESIDERIO PER LA SANTITÀ
e poso umilmente questo mazzo ai tuoi piedi.

IL QUINTO MISTERO DELLA LUCE

L'ISTITUZIONE DELL'EUCARESTIA

O coraggiosa Madre Maria, meditando sul Mistero dell'Istituzione del Sacramento dell'Eucaristia, la lezione che ci viene insegnata in Matteo 26: 26-28, Marco 14: 22-25, Luca 22: 14-20 e Giovanni 6: 33-59, quando il giorno prima della sua morte, tuo figlio celebrava la Pasqua con i suoi discepoli e prendeva il pane e lo diede loro dicendo: "Prendetene e mangiatene; questo è il mio corpo". E quando la cena fu terminata, prese una tazza di vino e la condivise con loro dicendo: "Prendete e bevete; questo è il mio sangue versato per voi e per tutti; fate questo in memoria di me".

Meditando sull'istituzione dell'Eucaristia e pregando per un aumento della virtù dell'adorazione dell'Eucaristia, prego umilmente ...

(1) Padre Nostro

Padre nostro, che sei nei cieli, sia santificato il tuo nome, venga il tuo regno, sia fatta la tua volontà come in cielo così in terra. Dacci oggi il nostro pane quotidiano, e rimetti a noi i nostri debiti come noi li rimettiamo ai nostri debitori, e non ci indurre in tentazione, ma liberaci dal male. Amen.

(10) Ave Maria

Ave, o Maria, piena di grazia, il Signore è con te. Tu sei benedetta fra le donne e benedetto è il frutto del tuo seno, Gesù Santa Maria, Madre di Dio, prega per noi peccatori, adesso e nell'ora della nostra morte. Amen.

(1) Gloria sia

Gloria al Padre e al Figlio e allo Spirito Santo. Come era nel principio, ora e sempre nei secoli dei secoli. Amen.

(1) Oh mio Gesù

O Gesù, perdona le nostre colpe, preservaci dal fuoco dell'inferno, porta in cielo tutte le anime, specialmente le più bisognose della vostra misericordia. Amen.

Lego queste rose gialle brillanti con una petizione per la virtù dell'
ADORAZIONE DELL'ECARISTISTA
e poso umilmente questo mazzo ai tuoi piedi.

COMUNIONE SPIRITUALE

MIO GESÙ, veramente presente nel Santissimo Sacramento dell'Altare, poiché ora non posso riceverti sotto il velo sacramentale, ti supplico, con un cuore pieno di amore e desiderio, di venire spiritualmente nella mia anima attraverso il cuore immacolato della Tua santissima Madre, e rimani con me per sempre; Tu in me e io in Te, nel tempo e nell'eternità, in Maria. Amen.

In petizione (ad esempio, pregando 1-27 giorni)

Dolce Madre Maria, ti offro questa Comunione spirituale per legare i miei mazzi in una corona da porre sulla tua fronte. Oh Madre mia! guarda con favore il mio dono e nel tuo amore ottieni per me: *(specifica la richiesta)* Ma di nuovo solo se la mia richiesta è compatibile con la Santa Volontà di Dio, e se è per il meglio della mia anima o dell'anima della persona per la quale sto pregando. Per questa petizione, o Regina del Santo Rosario, prego umilmente chiedendo la tua intercessione; *(Ave Maria ... Ave Regina Santa ...)*

Nel giorno del ringraziamento (dite quando pregate i giorni 28-54)

Dolce Madre Maria, ti offro questa Comunione spirituale per legare i miei mazzi in una corona da porre sulla tua fronte in segno di ringraziamento per *(specifica la richiesta)* che tu hai ottenuto nel tuo amore per me. Grazie, Madre Maria, prego umilmente

(1) Ave Maria
Ave, o Maria, piena di grazia, il Signore è con te. Tu sei benedetta fra le donne e benedetto è il frutto del tuo seno, Gesù Santa Maria, Madre di Dio, prega per noi peccatori, adesso e nell'ora della nostra morte. Amen.

Ave, Regina Santa
Salve, Regina, madre di misericordia, vita, dolcezza e speranza nostra, salve. A te ricorriamo, esuli figli di Eva; a te sospiriamo, gementi e piangenti in questa valle di lacrime. Orsù dunque, avvocata nostra, rivolgi a noi gli occhi tuoi misericordiosi. E mostraci, dopo questo esilio, Gesù, il frutto benedetto del tuo seno. O clemente, o pia, o dolce Vergine Maria. Amen.

PREGHIAMO

O Dio! Il cui Figlio unigenito, con la sua vita, morte e risurrezione, ha ottenuto per noi la ricompensa della vita eterna; concedi, Ti supplichiamo che, meditando su questi misteri del Santissimo Rosario della Beata Vergine Maria, possiamo imitare ciò che contengono e ottenere ciò che promettono. Attraverso lo stesso Cristo nostro Signore. Amen.

Possa l'assistenza divina rimanere sempre con noi. Amen. E possano le anime dei fedeli partire, per la misericordia *di* Dio, riposare in pace. Amen. Santa Vergine, con il tuo amorevole Figlio, la tua benedizione ci dà questo giorno *(notte)*.

Memorare

Ricorda, o gentilissima Vergine Maria, che non si è mai saputo che qualcuno sfuggito alla tua protezione, avesse implorato il tuo aiuto o avesse cercato la tua intercessione, fosse rimasto senza aiuto. Ispirati da questa fiducia, voliamo a te, o Vergine delle vergini, mia Madre; a te veniamo, davanti a te siamo peccaminosi e dolorosi; O Madre della Parola Incarnata, non disprezzare le nostre petizioni, ma nella tua misericordia ascoltale e rispondi. Amen.

Preghiera di San Michele

San Michele, l'Arcangelo, ci difende in battaglia. Sii la nostra protezione contro la malvagità e le trappole del diavolo. Che Dio lo rimproveri, preghiamo umilmente; e tu, o Principe dell'ostia celeste, con il potere di Dio hai gettato nell'inferno Satana e tutti gli spiriti maligni che si aggirano per il mondo in cerca della rovina delle anime. Amen.

Segno della croce

Nel nome del Padre, del Figlio e dello Spirito Santo, Amen.

LA NOVENA DEL ROSARIO A NOSTRA SIGNORA

I Misteri Dolorosi

Preghiera Novena della Madonna del Santo Rosario

Mia cara Madre Maria, guarda me, tuo figlio, in preghiera ai tuoi piedi. Accetta questo Santo Rosario, che ti offro secondo le tue richieste a Fatima, come prova del mio tenero amore per te, per le intenzioni del Sacro Cuore di Gesù, in espiazione per le offese commesse contro il tuo Cuore Immacolato, e per questo favore speciale che chiedo sinceramente nella mia Novena del Rosario:

(Menziona la tua richiesta).

Per favore, Madre Maria, ti prego di presentare la mia richiesta al tuo Divin Figlio. Se pregherai per me, non potrò essere rifiutato. So, cara Madre, che vuoi che io cerchi la santa Volontà di Dio riguardo alla mia richiesta. Se la mia petizione non è compatibile con la Santa Volontà di Dio, e ciò che chiedo non dovrebbe essere concesso; per favore prega affinché io possa ricevere ciò che sarà di grande beneficio per la mia anima o l'anima della persona per cui sto pregando.

Ti offro questo "Mazzo di rose" spirituale perché ti amo. Metto tutta la mia fiducia in te, poiché le tue preghiere davanti a Dio sono più potenti. Per la maggiore gloria di Dio e per il bene di Gesù, il tuo amorevole Figlio, ascolta e esaudisci la mia preghiera. Dolce Cuore di Maria, sii la mia salvezza.

La Preghiera della Novena del Rosario a nostra Signora

Nel nome del Padre, del Figlio e dello Spirito Santo, Amen

(1) Ave Maria
Ave, o Maria, piena di grazia, il Signore è con te. Tu sei benedetta fra le donne e benedetto è il frutto del tuo seno, Gesù Santa Maria, Madre di Dio, prega per noi peccatori, adesso e nell'ora della nostra morte. Amen.

In petizione ... (di 'la preghiera qui sotto quando preghi nei giorni 1-27).

Ave, Regina del Santissimo Rosario, Madre Maria, Ave! Ai tuoi piedi mi inginocchio umilmente per offrirti una corona di rose - rose rosso sangue per ricordarti la passione di tuo figlio - ogni gemma che ti ricorda un santo mistero; ogni dieci legati insieme alla mia petizione per una grazia particolare. O Santa Regina, dispensatrice delle grazie di Dio, e Madre di tutti coloro che ti invocano! Non puoi guardare il mio dono e non vedere il suo legame. Come ricevi il mio dono, così riceverai la mia richiesta; dalla tua grazia mi darai il favore che cerco così seriamente e fiduciosamente. Non desidero nulla di ciò che ti chiedo. Mostrati, Madre mia!

Dopo aver detto " Nella Preghiera della Petizione..." "Continua con le preghiere del Rosario nella pagina successiva.

Nel Ringraziamento .... (di 'la preghiera qui sotto durante i giorni 28-54).

Ave Regina del Santissimo Rosario mia Madre Maria, Ave! Ai tuoi piedi mi inginocchio con gratitudine per offrirti una - Rosa delle rose— rose rosso sangue per ricordarti la passione di tuo figlio - ogni rosa ti ricordi un santo mistero; ogni dieci legati insieme alla mia petizione per una grazia particolare. O santa Regina dispensatrice delle grazie di Dio e Madre di tutti coloro che ti invocano! Non puoi guardare il mio dono e non vedere il suo legame. Mentre ricevi il mio dono, così riceverai il mio ringraziamento; dalla tua grazia mi hai dato il favore che ho cercato così seriamente e fiduciosamente. Non ho disperato di quello che ti chiedo e tu ti sei davvero mostrata Madre mia!

Il Credo dell'Apostolo

Io credo in Dio, Padre onnipotente, creatore del cielo e della terra; e in Gesù Cristo, suo unico Figlio, nostro Signore, il quale fu concepito di Spirito Santo, nacque da Maria Vergine, patì sotto Ponzio Pilato, fu crocifisso, morì e fu sepolto; discese agli inferi; il terzo giorno risuscitò da morte; salì al cielo, siede alla destra di Dio Padre onnipotente; di là verrà a giudicare i vivi e i morti. Credo nello Spirito Santo, la santa Chiesa Cattolica, la Comunione dei santi, la remissione dei peccati, la risurrezione della carne, la vita eterna. Amen.

(1) Padre Nostro

Padre nostro, che sei nei cieli, sia santificato il tuo nome, venga il tuo regno, sia fatta la tua volontà come in cielo così in terra. Dacci oggi il nostro pane quotidiano, e rimetti a noi i nostri debiti come noi li rimettiamo ai nostri debitori, e non ci indurre in tentazione, ma liberaci dal male. Amen.

Le 3 perle di Ave Maria

Per un aumento della virtù della fede ... prego umilmente:

(1) Ave Maria

Ave, o Maria, piena di grazia, il Signore è con te. Tu sei benedetta fra le donne e benedetto è il frutto del tuo seno, Gesù Santa Maria, Madre di Dio, prega per noi peccatori, adesso e nell'ora della nostra morte. Amen.

Per un aumento della virtù della speranza ... prego umilmente:

(1) Ave Maria

Ave, o Maria, piena di grazia, il Signore è con te. Tu sei benedetta fra le donne e benedetto è il frutto del tuo seno, Gesù Santa Maria, Madre di Dio, prega per noi peccatori, adesso e nell'ora della nostra morte. Amen.

Per un aumento della virtù della carità ... Prego umilmente:

(1) Ave Maria

Ave, o Maria, piena di grazia, il Signore è con te. Tu sei benedetta fra le donne e benedetto è il frutto del tuo seno, Gesù Santa Maria, Madre di Dio, prega per noi peccatori, adesso e nell'ora della nostra morte. Amen.

(1) Gloria sia

Gloria al Padre e al Figlio e allo Spirito Santo. Come era nel principio, ora e sempre nei secoli dei secoli. Amen.

(1) Oh mio Gesù

O Gesù, perdona le nostre colpe, preservaci dal fuoco dell'inferno, porta in cielo tutte le anime, specialmente le più bisognose della vostra misericordia. Amen.

IL PRIMO MISTERO DOLOROSO

L'AGONIA NEL GIARDINO

O addoloratissima Madre Maria, meditando sul mistero dell'agonia di Nostro Signore nel Giardino, di cui leggiamo in Matteo 26: 36-46, Marco 14: 32-42 e Luca 22: 39-46. Quando, nella grotta del Giardino degli Ulivi, Gesù vide i peccati del mondo dispiegati davanti a Lui da Satana, che cercò di dissuaderlo dal sacrificio che stava per compiere. Quando, la sua anima si restrinse dalla vista e il suo prezioso sangue scorreva da ogni poro alla visione della tortura e della morte che doveva subire: le tue stesse sofferenze, cara Madre, le future sofferenze della sua Chiesa e le sue stesse sofferenze nel Santissimo Sacramento, gridò angosciato, "Abba! Padre! Se è possibile, lascia che questo calice passi da Me!" Ma, rassegnandosi immediatamente alla volontà di suo Padre, pregò: "Non come voglio, ma come vuoi!"

Meditando sul mistero dell'Agonia nel Giardino e pregando per un aumento della virtù di Dimissioni alla Volontà di Dio, prego umilmente ...

(1) Padre Nostro

Padre nostro, che sei nei cieli, sia santificato il tuo nome, venga il tuo regno, sia fatta la tua volontà come in cielo così in terra. Dacci oggi il nostro pane quotidiano, e rimetti a noi i nostri debiti come noi li rimettiamo ai nostri debitori, e non ci indurre in tentazione, ma liberaci dal male. Amen.

(10) Ave Maria

Ave, o Maria, piena di grazia, il Signore è con te. Tu sei benedetta fra le donne e benedetto è il frutto del tuo seno, Gesù Santa Maria, Madre di Dio, prega per noi peccatori, adesso e nell'ora della nostra morte. Amen.

(1) Gloria sia

Gloria al Padre e al Figlio e allo Spirito Santo. Come era nel principio, ora e sempre nei secoli dei secoli. Amen.

(1) Oh mio Gesù

O Gesù, perdona le nostre colpe, preservaci dal fuoco dell'inferno, porta in cielo tutte le anime, specialmente le più bisognose della vostra misericordia. Amen.

Lego queste rose rosso sangue con una petizione per la virtù di
DIMISSIONE ALLA VOLONTÀ DI DIO
e poso umilmente questo mazzo ai tuoi piedi

LA FLAGELLAZIONE ALLA COLONNA

O addoloratissima Madre Maria, meditando sul Mistero della Flagellazione di Nostro Signore, di cui leggiamo in Matteo 27:26, Marco 15:15, Luca 23: 16-22 e Giovanni 19: 1. Quando, al comando di Pilato, il tuo divino Figlio, spogliato delle sue vesti e legato a una colonna, fu lacerato dalla testa ai piedi con piaghe crudeli e la sua carne strappata via fino a che il suo corpo mortificato non poté più sopportare.

Meditando sul mistero dello flagello alla colonna e pregando per un aumento della virtù della mortificazione, prego umilmente ...

(1) Padre Nostro

Padre nostro, che sei nei cieli, sia santificato il tuo nome, venga il tuo regno, sia fatta la tua volontà come in cielo così in terra. Dacci oggi il nostro pane quotidiano, e rimetti a noi i nostri debiti come noi li rimettiamo ai nostri debitori, e non ci indurre in tentazione, ma liberaci dal male. Amen.

(10) Ave Maria

Ave, o Maria, piena di grazia, il Signore è con te. Tu sei benedetta fra le donne e benedetto è il frutto del tuo seno, Gesù Santa Maria, Madre di Dio, prega per noi peccatori, adesso e nell'ora della nostra morte. Amen.

(1) Gloria sia

Gloria al Padre e al Figlio e allo Spirito Santo. Come era nel principio, ora e sempre nei secoli dei secoli. Amen.

(1) Oh mio Gesù

O Gesù, perdona le nostre colpe, preservaci dal fuoco dell'inferno, porta in cielo tutte le anime, specialmente le più bisognose della vostra misericordia. Amen.

Lego queste rose rosso sangue con una petizione per la virtù di

MORTIFICAZIONE

e poso umilmente questo mazzo ai tuoi piedi

L'INCORONAZIONE DI SPINE

O addoloratissima Madre Maria, meditando, sul mistero dell'incoronazione di Nostro Signore con le spine, di cui leggiamo in Matteo 27: 29-30, Marco 15: 16-20 e Giovanni 19: 2-3. Quando, i soldati, legando intorno alla sua testa una corona di spine appuntite, riversarono colpi su di esso, spingendo le spine profondamente nella sua testa. Quando poi, con finta adorazione, si inginocchiarono davanti a lui, gridando: "Ave, re dei Giudei!

Meditando sul mistero di L'incoronazione di spine e pregando per un aumento della virtù dell'umiltà, prego umilmente ...

(1) Padre Nostro

Padre nostro, che sei nei cieli, sia santificato il tuo nome, venga il tuo regno, sia fatta la tua volontà come in cielo così in terra. Dacci oggi il nostro pane quotidiano, e rimetti a noi i nostri debiti come noi li rimettiamo ai nostri debitori, e non ci indurre in tentazione, ma liberaci dal male. Amen.

(10) Ave Maria

Ave, o Maria, piena di grazia, il Signore è con te. Tu sei benedetta fra le donne e benedetto è il frutto del tuo seno, Gesù Santa Maria, Madre di Dio, prega per noi peccatori, adesso e nell'ora della nostra morte. Amen.

(1) Gloria sia

Gloria al Padre e al Figlio e allo Spirito Santo. Come era nel principio, ora e sempre nei secoli dei secoli. Amen.

(1) Oh mio Gesù

O Gesù, perdona le nostre colpe, preservaci dal fuoco dell'inferno, porta in cielo tutte le anime, specialmente le più bisognose della vostra misericordia. Amen.

Lego queste rose rosso sangue con una petizione per la virtù di

UMILTÀ

e poso umilmente questo mazzo ai tuoi piedi.

IL TRASPORTO DELLA CROCE

O addoloratissima Madre Maria, meditando sul Mistero del Trasporto della Croce, di cui leggiamo in Luca 23: 26-32, Matteo 27: 31-32, Marco 15:21 e Giovanni 19:17. Quando, con il pesante legno della croce sulle sue spalle, il tuo divino Figlio fu trascinato, debole e sofferente, eppure paziente, per le strade in mezzo ai moti del popolo verso il Calvario, cadendo spesso, ma sollecitato dai colpi crudeli dei Suoi carnefici.

Meditando sul mistero del trasporto della croce e pregando per un aumento della virtù della pazienza nelle avversità, prego umilmente...

(1) Padre Nostro

Padre nostro, che sei nei cieli, sia santificato il tuo nome, venga il tuo regno, sia fatta la tua volontà come in cielo così in terra. Dacci oggi il nostro pane quotidiano, e rimetti a noi i nostri debiti come noi li rimettiamo ai nostri debitori, e non ci indurre in tentazione, ma liberaci dal male. Amen.

(10) Ave Maria

Ave, o Maria, piena di grazia, il Signore è con te. Tu sei benedetta fra le donne e benedetto è il frutto del tuo seno, Gesù Santa Maria, Madre di Dio, prega per noi peccatori, adesso e nell'ora della nostra morte. Amen.

(1) Gloria sia

Gloria al Padre e al Figlio e allo Spirito Santo. Come era nel principio, ora e sempre nei secoli dei secoli. Amen.

(1) Oh mio Gesù

O Gesù, perdona le nostre colpe, preservaci dal fuoco dell'inferno, porta in cielo tutte le anime, specialmente le più bisognose della vostra misericordia. Amen.

Lego queste rose rosso sangue con una petizione per la virtù di
PAZIENZA IN AVVERSITÀ
e poso umilmente questo mazzo ai tuoi piedi.

LA CROCIFISSIONE

O addoloratissima Madre Maria, meditando sul Mistero della Crocifissione, di cui leggiamo in Luca 23: 33-49; Matteo 27: 33-54; Marco 15: 22-39; e Giovanni 19: 17-37; dopo essere stato spogliato delle sue vesti, il tuo divino Figlio fu inchiodato sulla croce, sulla quale morì dopo tre ore di indescrivibile agonia, durante le quali implorò il perdono di suo Padre per i suoi nemici.

Meditando sul mistero della crocifissione e pregando per un aumento della virtù dell'amore dei nostri nemici, prego umilmente ...

(1) Padre Nostro

Padre nostro, che sei nei cieli, sia santificato il tuo nome, venga il tuo regno, sia fatta la tua volontà come in cielo così in terra. Dacci oggi il nostro pane quotidiano, e rimetti a noi i nostri debiti come noi li rimettiamo ai nostri debitori, e non ci indurre in tentazione, ma liberaci dal male. Amen.

(10) Ave Maria

Ave, o Maria, piena di grazia, il Signore è con te. Tu sei benedetta fra le donne e benedetto è il frutto del tuo seno, Gesù Santa Maria, Madre di Dio, prega per noi peccatori, adesso e nell'ora della nostra morte. Amen.

(1) Gloria sia

Gloria al Padre e al Figlio e allo Spirito Santo. Come era nel principio, ora e sempre nei secoli dei secoli. Amen.

(1) Oh mio Gesù

O Gesù, perdona le nostre colpe, preservaci dal fuoco dell'inferno, porta in cielo tutte le anime, specialmente le più bisognose della vostra misericordia. Amen.

Lego queste rose rosso sangue con una petizione per la virtù di
AMORE DEI NOSTRI NEMICI
e poso umilmente questo mazzo ai tuoi piedi.

COMUNIONE SPIRITURALE

MIO GESÙ, veramente presente nel Santissimo Sacramento dell'Altare, poiché ora non posso riceverti sotto il velo sacramentale, ti supplico, con un cuore pieno di amore e desiderio, di venire spiritualmente nella mia anima attraverso il cuore immacolato della Tua santissima Madre, e rimani con me per sempre; Tu in me e io in Te, nel tempo e nell'eternità, in Maria. Amen.

In petizione (ad esempio, pregando 1-27 giorni)

Dolce Madre Maria, ti offro questa comunione spirituale per legare i miei mazzi di fiori in una corona da porre sulla tua fronte. O madre mia! guarda con favore il mio dono e nel tuo amore ottieni per me: *(specifica la richiesta)* Ma di nuovo solo se la mia richiesta è compatibile con la Santa Volontà di Dio, e se è per il meglio della mia anima o dell'anima della persona per la quale sto pregando. Per questa petizione, o Regina del Santo Rosario, prego umilmente chiedendo la tua intercessione; *(Ave Maria ... Ave Regina Santa ...)*

Nel giorno del ringraziamento (dire quando pregate i giorni 28-54)

Dolce Madre Maria, ti offro questa Comunione spirituale per legare i miei mazzi in una corona da porre sulla tua fronte in segno di ringraziamento per *(specifica la richiesta)* che tu hai ottenuto nel tuo amore per me. Grazie, Madre Maria, prego umilmente

(1) Ave Maria
Ave, o Maria, piena di grazia, il Signore è con te. Tu sei benedetta fra le donne e benedetto è il frutto del tuo seno, Gesù Santa Maria, Madre di Dio, prega per noi peccatori, adesso e nell'ora della nostra morte. Amen.

Ave, Regina Santa
Salve, Regina, madre di misericordia, vita, dolcezza e speranza nostra, salve. A te ricorriamo, esuli figli di Eva; a te sospiriamo, gementi e piangenti in questa valle di lacrime. Orsù dunque, avvocata nostra, rivolgi a noi gli occhi tuoi misericordiosi. E mostraci, dopo questo esilio, Gesù, il frutto benedetto del tuo seno. O clemente, o pia, o dolce Vergine Maria. Amen.

PREGHIAMO

O Dio! Il cui Figlio unigenito, con la sua vita, morte e risurrezione, ha ottenuto per noi la ricompensa della vita eterna; concedi, Ti supplichiamo, che meditando su questi misteri del Santissimo Rosario della Beata Vergine Maria, possiamo imitare ciò che contengono e ottenere ciò che promettono. Attraverso lo stesso Cristo nostro Signore. Amen.

Possa l'assistenza divina rimanere sempre con noi. Amen. E possano le anime dei fedeli partire, per la misericordia *di* Dio, riposare in pace. Amen. Santa Vergine, con il tuo amorevole Figlio, la tua benedizione ci dà questo giorno *(notte)*.

Memorare
Ricorda, o gentilissima Vergine Maria, che non si è mai sentito che qualcuno che fosse sfuggito alla tua protezione, ed avesse implorato il tuo aiuto o avesse cercato la tua intercessione, fosse rimasto senza aiuto. Ispirati da questa fiducia, voliamo a te, o Vergine delle vergini, Madre mia; a te veniamo, davanti a te siamo peccaminosi e dolorosi; O Madre della Parola Incarnata, non disprezzare le nostre petizioni, ma nella tua misericordia ascoltale e rispondi. Amen.

Preghiera di San Michele
San Michele, l'Arcangelo, ci difende in battaglia. Sii la nostra protezione contro la malvagità e le trappole del diavolo. Che Dio lo rimproveri, preghiamo umilmente; e tu, o Principe dell'ostia celeste, con il potere di Dio hai gettato all'inferno Satana e tutti gli spiriti maligni che si aggirano per il mondo in cerca della rovina delle anime. Amen.

Segno della croce
Nel nome del Padre, del Figlio e dello Spirito Santo, Amen.

LA NOVENA DEL ROSARIO A NOSTRA SIGNORA

Foto per gentile concessione di: Esther Gefroh

I Misteri Gloriosi

Preghiera della Novena del Santo Rosario a Nostra Signora

Mia cara Madre Maria, guarda me, tuo figlio, in preghiera ai tuoi piedi. Accetta questo Santo Rosario, che ti offro secondo le tue richieste a Fatima, come prova del mio tenero amore per te, per le intenzioni del Sacro Cuore di Gesù, in espiazione per le offese commesse contro il tuo Cuore Immacolato, e per questo favore speciale che chiedo sinceramente nella mia Novena del Rosario:

(Menziona la tua richiesta).

Per favore, Madre Maria, ti prego di presentare la mia richiesta al tuo Divin Figlio. Se pregherai per me, non potrò essere rifiutato. So, cara Madre, che vuoi che io cerchi la santa Volontà di Dio riguardo alla mia richiesta. Se la mia petizione non è compatibile con la Santa Volontà di Dio, e ciò che chiedo non dovrebbe essere concesso; per favore prega affinché io possa ricevere ciò che sarà di grande beneficio per la mia anima o l'anima della persona per cui sto pregando.

Ti offro questo "Mazzo di rose" spirituale perché ti amo. Ho messo tutta la mia fiducia in te, dal momento che le tue preghiere davanti a Dio sono più potenti. Per la più grande gloria di Dio e per il bene di Gesù, il tuo amorevole Figlio, ascolta e esaudisci la mia preghiera. Dolce Cuore di Maria, sii la mia salvezza.

Preghiera della Novena del Rosario alla Madonna

Nel nome del Padre, del Figlio e dello Spirito Santo, Amen.

(1) Ave Maria

Ave, o Maria, piena di grazia, il Signore è con te. Tu sei benedetta fra le donne e benedetto è il frutto del tuo seno, Gesù Santa Maria, Madre di Dio, prega per noi peccatori, adesso e nell'ora della nostra morte. Amen.

In petizione ... (di 'la preghiera qui sotto quando preghi nei giorni 1-27.)

Ave, Regina del Santissimo Rosario, Madre Maria, Ave! Ai tuoi piedi mi inginocchio umilmente per offrirti una Corona di Rose - gemme bianche come la neve per ricordarti delle tue gioie - ogni gemma ti ricorda un santo mistero; ogni dieci legati insieme alla mia petizione per una grazia particolare. O Regina, dispensatrice di grazie di Dio e Madre di tutti coloro che invocano te! Non puoi guardare il mio dono e non vedere il suo legame. Come tu riceverai il mio dono, così riceverai la mia richiesta; dalla tua bontà tu mi darai il favore che così ardentemente e fiduciosamente cerco. Non desidero nulla di ciò che ti chiedo. Mostrati, Madre mia!

Dopo aver detto "Nella Preghiera della Petizione ..." "Continua con le Preghiere del Rosario nella pagina successiva.

Nel Ringraziamento .... (di 'la preghiera qui sotto durante i giorni 28-54).

Ave Regina del Santissimo Rosario mia Madre Maria, Ave! Ai tuoi piedi mi inginocchio con gratitudine per offrirti un "Germoglio di rose - gemme bianche come la neve ti ricordino le gioie del tuo divino Figlio - ogni rosa ti ricordi un santo mistero; ogni dieci legati insieme alla mia petizione per una grazia particolare. O santa Regina dispensatrice delle grazie di Dio e Madre di tutti coloro che ti invocano! Non puoi guardare il mio dono e non vedere il suo legame. Come tu riceverai il mio dono, così potrai ricevere il mio ringraziamento; dalla tua grazia mi hai dato il favore che ho cercato così seriamente e fiduciosamente. Non desidero nulla di quello che ti chiedo, mostrati, Madre mia!

Il Credo dell'Apostolo

Io credo in Dio, Padre onnipotente, creatore del cielo e della terra; e in Gesù Cristo, suo unico Figlio, nostro Signore, il quale fu concepito di Spirito Santo, nacque da Maria Vergine, patì sotto Ponzio Pilato, fu crocifisso, morì e fu sepolto; discese agli inferi; il terzo giorno risuscitò da morte; salì al cielo, siede alla destra di Dio Padre onnipotente; di là verrà a giudicare i vivi e i morti. Credo nello Spirito Santo, la santa Chiesa Cattolica, la Comunione dei santi, la remissione dei peccati, la risurrezione della carne, la vita eterna. Amen.

(1) Padre Nostro

Padre nostro, che sei nei cieli, sia santificato il tuo nome, venga il tuo regno, sia fatta la tua volontà come in cielo così in terra. Dacci oggi il nostro pane quotidiano, e rimetti a noi i nostri debiti come noi li rimettiamo ai nostri debitori, e non ci indurre in tentazione, ma liberaci dal male. Amen.

Le 3 perle di Ave Maria

Per un aumento della virtù della fede ... prego umilmente:

(1) Ave Maria

Ave, o Maria, piena di grazia, il Signore è con te. Tu sei benedetta fra le donne e benedetto è il frutto del tuo seno, Gesù Santa Maria, Madre di Dio, prega per noi peccatori, adesso e nell'ora della nostra morte. Amen.

Per un aumento della virtù della speranza ... prego umilmente:

(1) Ave Maria

Ave, o Maria, piena di grazia, il Signore è con te. Tu sei benedetta fra le donne e benedetto è il frutto del tuo seno, Gesù Santa Maria, Madre di Dio, prega per noi peccatori, adesso e nell'ora della nostra morte. Amen.

Per un aumento della virtù della carità ... Prego umilmente:

(1) Ave Maria

Ave, o Maria, piena di grazia, il Signore è con te. Tu sei benedetta fra le donne e benedetto è il frutto del tuo seno, Gesù Santa Maria, Madre di Dio, prega per noi peccatori, adesso e nell'ora della nostra morte. Amen.

(1) Gloria sia

Gloria al Padre e al Figlio e allo Spirito Santo. Come era nel principio, ora e sempre nei secoli dei secoli. Amen.

(1) Oh mio Gesù

O Gesù, perdona le nostre colpe, preservaci dal fuoco dell'inferno, porta in cielo tutte le anime, specialmente le più bisognose della vostra misericordia. Amen.

IL PRIMO MISTERO GLORIOSO

LA RESURREZIONE

O gloriosa Madre Maria, meditando sul mistero della risurrezione di Nostro Signore dai morti, che leggiamo in Matteo 28: 1-10; Marco 16: 1-18; Luca 24: 1-49; e Giovanni 20: 1-29, quando la mattina del terzo giorno dopo la sua morte e sepoltura, Gesù risuscitò dai morti e ti apparve, Madre benedetta, e riempì il tuo cuore di gioia indicìbile; poi apparve alle sante donne e ai suoi discepoli, che lo adoravano come il loro Dio risorto.

Meditando sul mistero della risurrezione di Nostro Signore dai morti e pregando per un aumento della virtù della fede, prego umilmente ...

(1) Padre Nostro

Padre nostro, che sei nei cieli, sia santificato il tuo nome, venga il tuo regno, sia fatta la tua volontà come in cielo così in terra. Dacci oggi il nostro pane quotidiano, e rimetti a noi i nostri debiti come noi li rimettiamo ai nostri debitori, e non ci indurre in tentazione, ma liberaci dal male. Amen.

(10) Ave Maria

Ave, o Maria, piena di grazia, il Signore è con te. Tu sei benedetta fra le donne e benedetto è il frutto del tuo seno, Gesù Santa Maria, Madre di Dio, prega per noi peccatori, adesso e nell'ora della nostra morte. Amen.

(1) Gloria sia

Gloria al Padre e al Figlio e allo Spirito Santo. Come era nel principio, ora e sempre nei secoli dei secoli. Amen.

(1) Oh mio Gesù

O Gesù, perdona le nostre colpe, preservaci dal fuoco dell'inferno, porta in cielo tutte le anime, specialmente le più bisognose della vostra misericordia. Amen.

Lego queste rose in piena regola con una petizione per la virtù di

FEDE

e poso umilmente questo mazzo ai tuoi piedi.

IL SECONDO MISTERO GLORIOSO

L'ASCENSIONE

O gloriosa Madre Maria, meditando sul Mistero dell'Ascensione, che leggiamo in Marco: 16: 19-20; Luca 24: 50-51; e Atti 1: 6-11, quando il tuo divino Figlio, dopo quaranta giorni sulla Terra, andò sul Monte Oliveto accompagnato dai Suoi discepoli e te, dove tutti Lo adorarono per l'ultima volta, dopo di che promise di rimanere con loro fino alla fine del mondo; poi, estendendo le sue mani trafitte su tutto in un'ultima benedizione, mentre saliva davanti ai loro occhi in cielo.

Meditando sul mistero dell'ascensione di Nostro Signore e pregando per un aumento della virtù della speranza ... prego umilmente ...

(1) Padre Nostro

Padre nostro, che sei nei cieli, sia santificato il tuo nome, venga il tuo regno, sia fatta la tua volontà come in cielo così in terra. Dacci oggi il nostro pane quotidiano, e rimetti a noi i nostri debiti come noi li rimettiamo ai nostri debitori, e non ci indurre in tentazione, ma liberaci dal male. Amen.

(10) Ave Maria

Ave, o Maria, piena di grazia, il Signore è con te. Tu sei benedetta fra le donne e benedetto è il frutto del tuo seno, Gesù Santa Maria, Madre di Dio, prega per noi peccatori, adesso e nell'ora della nostra morte. Amen.

(1) Gloria sia

Gloria al Padre e al Figlio e allo Spirito Santo. Come era nel principio, ora e sempre nei secoli dei secoli. Amen.

(1) Oh mio Gesù

O Gesù, perdona le nostre colpe, preservaci dal fuoco dell'inferno, porta in cielo tutte le anime, specialmente le più bisognose della vostra misericordia. Amen.

Lego queste rose in piena regola con una petizione per la virtù di

SPERANZA

e poso umilmente questo mazzo ai tuoi piedi.

LA DISCESA DELLO SPIRITO SANTO

O gloriosa Madre Maria, meditando sul Mistero della Discesa dello Spirito Santo, che leggiamo Atti 2: 1-41 quando gli apostoli si radunarono con te in una casa a Gerusalemme, lo Spirito Santo discese su di loro sotto forma di lingue di fuoco, infiammando i cuori degli apostoli con il fuoco dell'amore divino, insegnando loro tutte le verità, dando loro il dono delle lingue e, riempiendoti con la pienezza della sua grazia, ti hanno ispirato a pregare per gli apostoli e i primi cristiani.

Meditando sul mistero della discesa dello Spirito Santo di Nostro Signore e pregando per un aumento della virtù della Carità ... Prego umilmente ...

(1) Padre Nostro

Padre nostro, che sei nei cieli, sia santificato il tuo nome, venga il tuo regno, sia fatta la tua volontà come in cielo così in terra. Dacci oggi il nostro pane quotidiano, e rimetti a noi i nostri debiti come noi li rimettiamo ai nostri debitori, e non ci indurre in tentazione, ma liberaci dal male. Amen.

(10) Ave Maria

Ave, o Maria, piena di grazia, il Signore è con te. Tu sei benedetta fra le donne e benedetto è il frutto del tuo seno, Gesù Santa Maria, Madre di Dio, prega per noi peccatori, adesso e nell'ora della nostra morte. Amen.

(1) Gloria sia

Gloria al Padre e al Figlio e allo Spirito Santo. Come era nel principio, ora e sempre nei secoli dei secoli. Amen.

(1) Oh mio Gesù

O Gesù, perdona le nostre colpe, preservaci dal fuoco dell'inferno, porta in cielo tutte le anime, specialmente le più bisognose della vostra misericordia. Amen.

Lego queste rose in piena regola con una petizione per la virtù di

CARITÀ

e poso umilmente questo mazzo ai tuoi piedi

IL QUARTO GLORIOSO MISTERO

L'ASSUNZIONE DELLA NOSTRA BEATA MADRE NEL CIELO

O gloriosa Madre Maria, meditando sul Mistero della Tua Assunzione in Cielo, quando consumata dal desiderio di essere unita al tuo divino Figlio in cielo, la tua anima si allontanò dal tuo corpo e si unì a Lui, che, per l'amore eccessivo che aveva per te, sua madre, il cui corpo verginale era il suo primo tabernacolo, portò quel corpo in cielo e lì, tra le acclamazioni degli angeli e dei santi, reinfuse in esso la tua anima. Meditando sul mistero dell'Assunzione della nostra Beata Madre in Cielo, che è implicito nel libro dell'Apocalisse 12: 1, è insegnato nel catechismo della Chiesa cattolica quando l'Assunta è definita nelle Sezioni 966 e 974, e infine L'Assunta è una parte della tradizione cattolica ...

Meditando sul mistero dell'Assunzione della nostra Beata Madre in cielo e pregando per un aumento della virtù dell'Unione con Cristo ... Prego umilmente ...

(1) Padre Nostro

Padre nostro, che sei nei cieli, sia santificato il tuo nome, venga il tuo regno, sia fatta la tua volontà come in cielo così in terra. Dacci oggi il nostro pane quotidiano, e rimetti a noi i nostri debiti come noi li rimettiamo ai nostri debitori, e non ci indurre in tentazione, ma liberaci dal male. Amen.

(10) Ave Maria

Ave, o Maria, piena di grazia, il Signore è con te. Tu sei benedetta fra le donne e benedetto è il frutto del tuo seno, Gesù Santa Maria, Madre di Dio, prega per noi peccatori, adesso e nell'ora della nostra morte. Amen.

(1) Gloria sia

Gloria al Padre e al Figlio e allo Spirito Santo. Come era nel principio, ora e sempre nei secoli dei secoli. Amen.

(1) Oh mio Gesù

O Gesù, perdona le nostre colpe, preservaci dal fuoco dell'inferno, porta in cielo tutte le anime, specialmente le più bisognose della vostra misericordia. Amen.

Lego queste rose in piena regola con una petizione per la virtù di
UNIONE CON CRISTO
e poso umilmente questo mazzo ai tuoi piedi.

IL QUINTO GLORIOSO MISTERO

L'INCORONAZIONE DELLA NOSTRA MADRE BENEDETTA
NEL CIELO COME LA SUA REGINA

O gloriosa Madre Maria, meditando sul mistero della tua incoronazione in cielo, che è implicito nel libro di Apocalisse 12: 1, e celebrato anche ogni anno il 22 Agosto, quando i cattolici celebrano la festa della Regalità di Maria. O Regina del Santo Rosario, quando sei stata portata in Paradiso dopo la tua morte, sei stata triplicata incoronata come la Regina dei cieli di Agosto. Prima da Dio Padre come sua amata Figlia, poi da Dio Figlio come sua Madre più cara, e infine da Dio Spirito Santo come Sua Casta Sposa, l'adoratore più perfetto della Santissima Trinità, sostenendo la nostra causa come la nostra più potente e misericordiosa Madre.

Meditando sul mistero dell'incoronazione della nostra Beata Madre in cielo come regina, e pregando per un aumento della virtù dell'Unione con Te, prego umilmente ...

(1) Padre Nostro

Padre nostro, che sei nei cieli, sia santificato il tuo nome, venga il tuo regno, sia fatta la tua volontà come in cielo così in terra. Dacci oggi il nostro pane quotidiano, e rimetti a noi i nostri debiti come noi li rimettiamo ai nostri debitori, e non ci indurre in tentazione, ma liberaci dal male. Amen.

(10) Ave Maria

Ave, o Maria, piena di grazia, il Signore è con te. Tu sei benedetta fra le donne e benedetto è il frutto del tuo seno, Gesù Santa Maria, Madre di Dio, prega per noi peccatori, adesso e nell'ora della nostra morte. Amen.

(1) Gloria sia

Gloria al Padre e al Figlio e allo Spirito Santo. Come era nel principio, ora e sempre nei secoli dei secoli. Amen.

(1) Oh mio Gesù

O Gesù, perdona le nostre colpe, preservaci dal fuoco dell'inferno, porta in cielo tutte le anime, specialmente le più bisognose della vostra misericordia. Amen.

Lego queste rose in piena regola con una petizione per la virtù di

UNIONE CON TE

e poso umilmente questo mazzo ai tuoi piedi.

COMUNIONE SPIRITUALE

MIO GESÙ, veramente presente nel Santissimo Sacramento dell'Altare, poiché ora non posso riceverti sotto il velo sacramentale, ti supplico, con un cuore pieno di amore e desiderio, di venire spiritualmente nella mia anima attraverso il cuore immacolato della Tua santissima Madre, e rimani con me per sempre; Tu in me e io in Te, nel tempo e nell'eternità, in Maria. Amen.

In petizione (ad esempio, pregando 1-27 giorni)

Dolce Madre Maria, ti offro questa comunione spirituale per legare i miei mazzi di fiori in una corona da porre sulla tua fronte. O madre mia! guarda con favore il mio dono e nel tuo amore ottieni per me: *(specifica la richiesta)* Ma di nuovo solo se la mia richiesta è compatibile con la Santa Volontà di Dio, e se è per il meglio della mia anima o dell'anima della persona per la quale sto pregando. Per questa petizione, o Regina del Santo Rosario, prego umilmente chiedendo la tua intercessione; *(Ave Maria ... Ave Regina Santa ...)*

Nel giorno del ringraziamento (dire quando pregate i giorni 28-54)

Dolce Madre Maria, ti offro questa Comunione spirituale per legare i miei mazzi in una corona da porre sulla tua fronte in segno di ringraziamento per *(specifica la richiesta)* che tu hai ottenuto nel tuo amore per me. Grazie, Madre Maria, prego umilmente

(1) Ave Maria
Ave, o Maria, piena di grazia, il Signore è con te. Tu sei benedetta fra le donne e benedetto è il frutto del tuo seno, Gesù Santa Maria, Madre di Dio, prega per noi peccatori, adesso e nell'ora della nostra morte. Amen.

Ave, Regina Santa
Salve, Regina, madre di misericordia, vita, dolcezza e speranza nostra, salve. A te ricorriamo, esuli figli di Eva; a te sospiriamo, gementi e piangenti in questa valle di lacrime. Orsù dunque, avvocata nostra, rivolgi a noi gli occhi tuoi misericordiosi. E mostraci, dopo questo esilio, Gesù, il frutto benedetto del tuo seno. O clemente, o pia, o dolce Vergine Maria. Amen.

PREGHIAMO

O Dio! Il cui Figlio unigenito, con la sua vita, morte e risurrezione, ha ottenuto per noi la ricompensa della vita eterna; concedi, Ti supplichiamo, che meditando su questi misteri del Santissimo Rosario della Beata Vergine Maria, possiamo imitare ciò che contengono e ottenere ciò che promettono. Attraverso lo stesso Cristo nostro Signore. Amen.

Possa l'assistenza divina rimanere sempre con noi. Amen. E possano le anime dei fedeli partire, per la misericordia *di* Dio, riposare in pace. Amen. Santa Vergine, con il tuo amorevole Figlio, la tua benedizione ci dà questo giorno *(notte)*.

Memorare

Ricorda, o gentilissima Vergine Maria, che non si è mai sentito che qualcuno che fosse sfuggito alla tua protezione, ed avesse implorato il tuo aiuto o avesse cercato la tua intercessione, fosse rimasto senza aiuto. Ispirati da questa fiducia, voliamo a te, o Vergine delle vergini, Madre mia; a te veniamo, davanti a te siamo peccaminosi e dolorosi; O Madre della Parola Incarnata, non disprezzare le nostre petizioni, ma nella tua misericordia ascoltale e rispondi. Amen.

Preghiera di San Michele

San Michele, l'Arcangelo, ci difende in battaglia. Sii la nostra protezione contro la malvagità e le trappole del diavolo. Che Dio lo rimproveri, preghiamo umilmente; e tu, o Principe dell'ostia celeste, con il potere di Dio hai gettato all'inferno Satana e tutti gli spiriti maligni che si aggirano per il mondo in cerca della rovina delle anime. Amen.

Segno della croce

Nel nome del Padre, del Figlio e dello Spirito Santo, Amen.

Sull'Autore

Christopher Hallenbeck è un Cavaliere Sir di 4 ° grado nell'Assemblea n. 1427 di Saint René Goupil e un Cavaliere Fratello di 3 ° grado nel Consiglio dei Cavalieri di Colombo n. 265 a Gloversville, New York. Chris è stato 10 volte Grande Cavaliere del Consiglio 265 e anche Fedele Navigatore dell'Assemblea # 1427. Durante il periodo in cui ricoprì il ruolo di Gran Cavaliere, il Consiglio 265 ottenne numerosi riconoscimenti in riconoscimento del loro servizio alla Chiesa cattolica, alla comunità e anche all'Ordine. A marzo 2018, Chris fu invitato a diventare coordinatore dell'iscrizione dei Cavalieri di Colombo alla Conferenza sulla capitale nello Stato di New York. In questo ruolo ha sviluppato e presentato a I Cavalieri di Colombo la sua benvenuta presentazione intitolata "117 strategie di reclutamento personale per rivitalizzare il tuo consiglio". Per saperne di più sui Cavalieri di Colombo, visita gloversvillekofc.org o kofc.org

Ringraziamenti e Riconoscimenti

Grazie Mamma, Mike, Kolin, Diana e Abbey. Olivia, Luciana, Connor, Jackson e Finley. Brian Brown. Mary Jo e Cubby Faville. Kelli, Jamie, Melissa e famiglie. Consiglio dei Cavalieri di Colombo n. 265. Vescovo Ed Scharfenberger. Padre Don Czelusniak. Padre Rendell Torres. Padre Matthew Wetsel. Padre James Davis. Padre Francis Vivacqua. Padre David LeFort. Padre Donald Rutherford. Diane Sgroi. Charles V. Lacey. Le Adoratrici della Perpetua Cappella dell'adorazione eucaristica presso la Chiesa dello Spirito Santo a Gloversville. Diana Hallenbeck, Melissa Faville Hally, Dr. Lana Mowdy e Maren Kate Ruth per l'aiuto nella correzione di bozze e nella modifica. Esther Gefroh, proprietaria di blogspot "A Catholic Mom in Hawaii" per il permesso di usare la sua foto della statua della Madonna di Fatima. Dan Rudden, proprietario e gestore di The Rosary Foundation, per il permesso di utilizzare l'immagine Come Pregare il Rosario. Ultimo ma non meno importante, vorrei in particolare ringraziare la cantante Francesca Bergamini per avermi inviato la musica. Le tue canzoni facevano parte della playlist che ho ascoltato mentre lavoravo alla stesura di questo libro.

Grazie per pregare il Rosario.

Su Salvatore

"Sam" Guarnier

By: Christopher Hallenbeck

Elogio scritto il 6 novembre 2006 e letto il Giorno successivo durante la Messa funebre di Sam.

Salvatore "Sam" Guarnier
Gloversville, NY

Salvatore Angelo Guarnier significava molte cose diverse per molte persone diverse. Era un figlio, un fratello, un marito, un padre, uno zio, un nonno, un compagno di pallamano, un fratello dei Cavalieri di Colombo, un membro dell'YMCA e un amico di molte persone diverse e di molte vite diverse ; soprattutto, nonno Sam era un modello.

All'inizio di quest'anno il nonno ha celebrato il suo 90°compleanno e per commemorare l'occasione abbiamo organizzato una festa che includeva una grande torta. Questa torta era grande non perché potesse contenere 90 candele, ma avevamo bisogno di una torta abbastanza grande da garantire che tutti nella stanza ne avessero un pezzo.

Non molte persone sono abbastanza fortunate da avere una festa per il 90°compleanno, eppure da sole hanno vissuto una vita così piena in cui la lista degli invitati doveva essere accorciata semplicemente perché non c'era abbastanza spazio per tutti a partecipare ... Da tutte queste persone, e da molti altri che sono morti prima, il nonno Sam era molto amato, rispettato ed era in qualche modo ammirato come modello.

Quel giorno dopo cena praticamente tutti nella stanza stavano in piedi e parlavano del nonno con grande rispetto, rispetto e apprezzamento per il tipo di uomo che era e il tipo di devozione, dedizione e amore che aveva per la sua comunità, la sua chiesa, i suoi amici, e soprattutto la sua famiglia.

Come ben sapete, il nonno ha vissuto ogni giorno al massimo, offrendo volontariamente il suo tempo per i Cavalieri di Colombo, giocando a pallamano con Guy, Art Frank e Marshall, aiutando il giudice DeSantis a fare campagna elettorale e poi chiedendogli il suo autografo dopo aver vinto, guidando lo sceriffo della contea di Fulton e i suoi amici allo Yankee Stadium, correndo le sue 3 miglia quotidiane sulla pista di Darling Field, o semplicemente tenendo i punteggi delle partite degli Yankee Games in TV, il nonno viveva ogni giorno con il sorriso sul volto. Tuttavia, nulla ha messo sul suo viso un sorriso più grande che il tempo trascorso con la sua famiglia.

Per lui la vita quotidiana che coinvolgeva la sua famiglia non era un giorno qualunque, era una vacanza. Il nonno amava la sua famiglia e godeva della sua compagnia più di ogni altra cosa. Sia che si trattasse di una grande famiglia o delle normali telefonate che riceveva dalle sue Figlie, suo figlio o suoi nipoti. Il nonno non amava altro che passare il tempo con la sua famiglia. Erano i tempi che amava di più, e per la sua famiglia erano tempi che abbiamo trascorso con il miglior modello che tutti noi conosceremo.

Mentre celebriamo la vita di nonno Sam oggi, ti preghiamo di ricordare nostro nonno non solo per i momenti che hai trascorso insieme a lui; ricordalo per il tipo di persona che era e come ha influenzato la tua vita attraverso la sua devozione, dedizione, amore e rispetto. Attraverso questi pensieri e ricordi del nonno, ci viene data l'opportunità di mostrare alle nostre singole comunità, chiese, amici e famiglie la stessa devozione, dedizione, amore e rispetto che hanno influenzato noi; e speriamo di poter rendere il mondo un posto migliore in cui vivere semplicemente perché Salvatore Angelo Guarnier è stato un modello per te.

A nome della mia famiglia, vorrei estendere un invito a tutti voi per unirvi a noi alla fine dei servizi di questa mattina per un ricevimento al Consiglio dei Cavalieri di Colombo 265, 99 North Main Street a Gloversville. Grazie.

Su Margaret Guarnier

By: Christopher Hallenbeck

Elogio scritto il 22 agosto 2011 e letto il Giorno successivo durante la Messa funebre di Margaret.

Margaret Guarnier con "Marley".
Gloversville, NY

Margaret Peters Guarnier significava molte cose diverse per molte persone diverse. Era una figlia, una sorella, una moglie, una madre, una zia, una nonna e un'amica per molte persone diverse e per molte vite diverse.

Nei giorni trascorsi da quando la nonna è morta, la mia famiglia ha ricevuto molte telefonate, biglietti e messaggi da amici e membri della comunità che ci hanno contattato per esprimere le loro condoglianze e offrire il loro supporto. Uno dei biglietti che abbiamo ricevuto è stata da parte dei miei padrini - Kevin e Ruth Santabarbara che vivono a Rotterdam, New York e vorrei condividerlo con te. Si legge:

"Pensando a te mentre onori tua Madre:

Non dimenticherai mai il viso di tua madre, il suono della sua voce, la dolcezza del suo tocco ... ti fanno sapere che sei amato.

Non dimenticherai mai le storie che ha raccontato, le tradizioni che ha tramandato ... ti fanno sapere chi sei.

Non dimenticherai mai le lezioni che ha insegnato, le cose che rappresentava ... sono il suo dono e il tuo retaggio.

Non dimenticherai mai, e saprai sempre, che la onori ogni giorno nel modo in cui vivi e in modo in cui sei."

Quando ti ho salutato per la prima volta oggi con la mia presentazione dei molti titoli di come diverse persone conoscevano la nonna, tutti questi titoli hanno una delle due cose in comune che condividono il modo in cui la nonna ha vissuto la sua vita e perché ci riuniamo qui oggi pomeriggio.

La prima è che la nonna Guarnier è stata un modello per tutti noi attraverso il suo amore per la sua famiglia. L'amore per la sua

100

famiglia di 4 figlie, un figlio, otto nipoti e sette pronipoti ci fanno sapere tutti chi siamo, e sono il suo dono e il tuo retaggio.

E, infine, oggi, mentre celebriamo la vita di nonna Guarnier, ricordati di nostra nonna non solo per le volte che hai trascorso insieme a lei. Ricordala per il tipo di persona che era. Come ha influenzato la tua vita attraverso la sua devozione, dedizione, amore e rispetto per la sua famiglia e, soprattutto, attraverso il secondo modo in cui la nonna ha vissuto la sua vita.

Come tutti sapete, la nonna era una donna cattolica molto devota. Ha vissuto la sua fede attraverso il suo amore e la sua dedizione per la chiesa, e anche attraverso la sua fede e devozione a Dio e alla Beata Madre Maria. Ha fatto del suo meglio per frequentare la chiesa settimanalmente, ha pregato il Rosario almeno una volta al giorno e non riesco a pensare a un modo migliore per onorare la vita di mia nonna da tutti noi che la ricordiamo attraverso il nostro amore individuale e òa dedizione alla chiesa e Dio, e pregando il Rosario ogni giorno. Attraverso queste azioni "non dimenticherai mai, e saprai sempre, che la onori ogni giorno nel modo in cui vivi e chi sei", e insieme, come famiglia, come comunità della chiesa e come amici noi ricorderanno tutti "Nell'Amorevole memoria di Margaret Peters Guarnier ".

NOTE FINALI

1. Catechismo della Chiesa cattolica. New York: Doubleday, 1994.

2. Lacey, Charles. Novene del Rosario Alla Madonna. Woodland Hills: Benziger Brothers, 1926.

3. Johnson, Kevin Orlin. Perché i cattolici lo fanno?: Una guida a Insegnamenti e pratiche della Chiesa cattolica. New York: Ballantine Books, 1994.

4. Sly, Randy. "Nove giorni di preghiera focalizzata: cos'è una novena?" *www.catholic.org* 14 maggio 2010

5. La nuova Bibbia americana. Canada: World Catholic Press, 1987.

6. Holdren, Alan. "Dopo la visione di Cristo, dice il vescovo nigeriano il rosario farà cadere Boko Harem." *www.ewtnnews.com il* 21 aprile 2015

7. Saint Louis De Monfort. Il segreto del rosario. Carlotta: TAN, 1993.

8. "Citazioni di adorazione eucaristica Beata Madre Teresa di Calcutta " stfrancisadoration.org 30 maggio 2016.

Made in United States
North Haven, CT
19 May 2022